D0513499

50 HONDSBRUTALE STREKEN VAN Pluto

Sanoma Uitgevers

Sanoma Uitgevers

Een uitgave van Sanoma Uitgevers BV – Hoofddorp
Eerste druk 2010
ISBN 978-90-8574-6973
NUR 362

Directie: Dick Molman (CEO), Henk Scheenstra (COO)
Uitgever: Suzan Schouten
Hoofdredactie: Thom Roep, Joan Lommen (adj.)
Tekstredactie: Bianca Franzen, Mariëlle Heemskerk, Babette Tierie, Petra Waaijer (chef)
Comic assistant: Ferdi Felderhof
Marketing: Annemiek van Bakel, Marion van Elderen, Petra van Gaale, Monique Kok, Karin Rookhuiszen.
Vormgeving: Ellen Hagenaars (chef), Ingrid Steenhuis
Technische redactie: Gidy Blom, Jan Metselaar, Fred van der Linden
Redactiesecretariaat: Holly Holsboer, Jenny Kovacsek, Willemijn Swarte
Druk: Valprint – Milaan
Distributie voor Nederland: Aldipress BV – Utrecht, tel.: (030) 666 06 11

Pluto is een hond die niet voor de poes is...

Pluto, de hond van Mickey Mouse… Wie kent hem niet, die oranjekleurige goedzak die een muis als baas heeft? Pluto is uniek!
Toch is dit niet helemaal waar. In het korte Walt Disney tekenfilmpje 'The Chain Gang' uit 1930 waren er twee Pluto's. In dit filmpje ontsnapt Mickey Mouse uit een gevangenis en wordt hij achtervolgd door bloedhonden; twee overduidelijke Pluto's die geen naam hebben en waarvan er eentje, in hetzelfde jaar nog, meespeelt in het volgende tekenfilmpje 'The Picnic'. Maar daarin heet Pluto nog geen Pluto, maar Rover en is hij het huisdier van Minnie Mouse.

Een jaar later, in 1931, verschijnt de tekenfilm 'The Moose Hunt' in de bioscopen en daarin wordt hij dan eindelijk Pluto genoemd. Hij speelt samen met Mickey Mouse, die vanaf dat moment zijn baasje is, en Donald Duck een hoofdrol.
In 1930 werd er trouwens in ons zonnestelsel een hemellichaam ontdekt dat de naam Pluto kreeg. Tot 2006 werd dit een planeet genoemd en na dat jaar een dwergplaneet. Onze brave tekenfilmhond is hiernaar vernoemd.

Grappig is dat Pluto als een van de weinige Disney creaties altijd een écht dier is gebleven. Geen menselijke eigenschappen werden hem toegekend, zoals bijvoorbeeld bij Goofy gebeurde. Officieel is Goofy ook een hond, een Australische dingo, maar net als Boris Boef (een kater), Donald Duck (een eend), De Zware Jongens (beagles, dus ook honden) en Willie Wortel (kraanvogel) vergeet iedereen dat Goofy oorspronkelijk een dier is. En van Donald Duck wordt zelfs gezegd dat hij helemaal geen eend is, maar er alleen toevallig zo uitziet!

Voor Pluto gaat deze theorie dus niet op. Hij is en blijft een hond, een huisdier, afhankelijk van degene die hem verzorgt. Hij snuffelt, blaft en gromt, loopt op vier poten, draagt een halsband en heeft zijn eigen hondenhok in de tuin.

Zich kleden of praten zoals alle andere tweeslachtige Disney figuren doet hij niet. Slechts één keer klonk zijn blaf, eigenlijk gehijg, heel menselijk in een tekenfilm waarin hij een teefje het hof maakte en het leek of er 'kiss me" (Kus me!) te horen was.

Was Pluto in eerste instantie een minder belangrijk figuur, dat slechts bijrolletjes in tekenfilms en stripverhalen speelde, vanaf 1934 rees zijn ster. Zo snel zelfs dat de hond een van de belangrijkste en populairste Disney figuren aller tijden werd.
Gedurende zijn tekenfilmcarrière trad Pluto in eerste instantie op met Mickey en Minnie. Al gauw voegden Goofy en Donald Duck zich daarbij. Toen Donald Duck op een gegeven moment populairder werd dan Mickey Mouse wisselde Pluto af en toe van baasje en was hij soms uitsluitend met Donald te zien in de bioscoop.

Pluto kreeg vanaf 1937 zijn eigen serie tekenfilms – 'Pluto Cartoons' - waarvan er tot 1951 maar liefst achtenveertig stuks werden geproduceerd. Hij had twee grote liefdes in zijn hondenleven. De eerste was Fifi, een klein mopsig bruin hondje met zwarte oren en staart, waarmee Pluto vijf jongen krijgt (en nog een Pluto Junior in een latere film). Daarna volgde Dinah de teckel.

Beide dametjes houden het precies vijf tekenfilms met Pluto uit. Verder kreeg Pluto het veelvuldig aan de stok met de eekhoorns Knabbel en Babbel, de valse buldog Butch, met Boris Boef, zeehonden en diverse katten, waarvan er een de kat Figaro was, in die film het huisdier van Minnie Mouse, maar oorspronkelijk afkomstig uit de film Pinokkio!

Tegenwoordig is Pluto ook te zien in de tv-serie *Mickey Mouse Works*, *Disney's Huis van de Muis* en *Mickey Mouse Clubhouse*. Vreemd genoeg echter was Pluto als enige niet van de partij toen

de hele club werd herenigd voor de korte tekenfilm *'Mickey's Christmas Carol'* in 1983. Wel bij *'De Prins en de Bedelaar'* in 1990 en bij *'Runaway Brain'* vijf jaar later. Ook werd Pluto gespot in de lange tekenfilm *'Who Framed Roger Rabbit'* uit 1988.

De strippagina's in deze albumuitgave waren onderdeel van een reeks van zeventig grappen die in de kleurenbijlagen van Amerikaanse kranten in de jaren 1939 en 1940 verschenen. Van de meeste is Hubie Karp de tekstschrijver en Bob Grant degene die het tekenwerk verzorgde. In Nederland verschenen deze pagina's eerder in het weekblad *Donald Duck*, jaargangen 1979 en 1980.

In stripverhalen treedt Pluto al op sinds 1931. Eerst als huisdier en medespeler van Mickey, maar in 1942 verschijnt een compleet stripboek met de titel 'Pluto Saves the Ship'. Een heel bijzonder oorlogsverhaal, dat zojuist is verschenen in de uitgave De Beste Verhalen van Donald Duck deel 135, *Donald Duck als allerlaatste?*

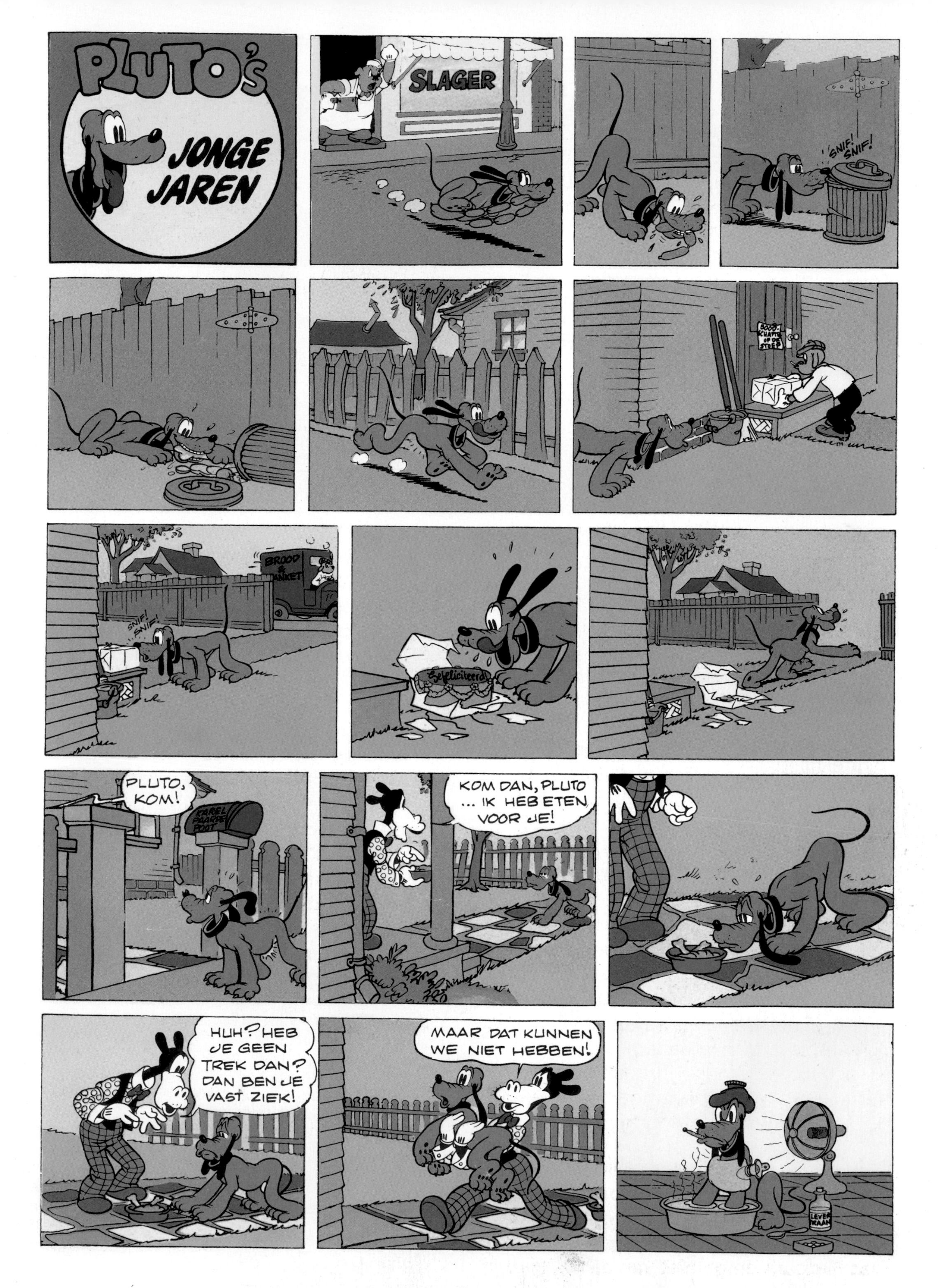
PLUTO's
JONGE JAREN
SLAGER
SNIF! SNIF!
BOOD-SCHAPPEN OP DE STOEP
BROOD & BANKET
SNIF! SNIF!
Gefeliciteerd
PLUTO, KOM!
KAREL PAARDE POOT
KOM DAN, PLUTO ... IK HEB ETEN VOOR JE!
HUH? HEB JE GEEN TREK DAN? DAN BEN JE VAST ZIEK!
MAAR DAT KUNNEN WE NIET HEBBEN!
LEVERTRAAN

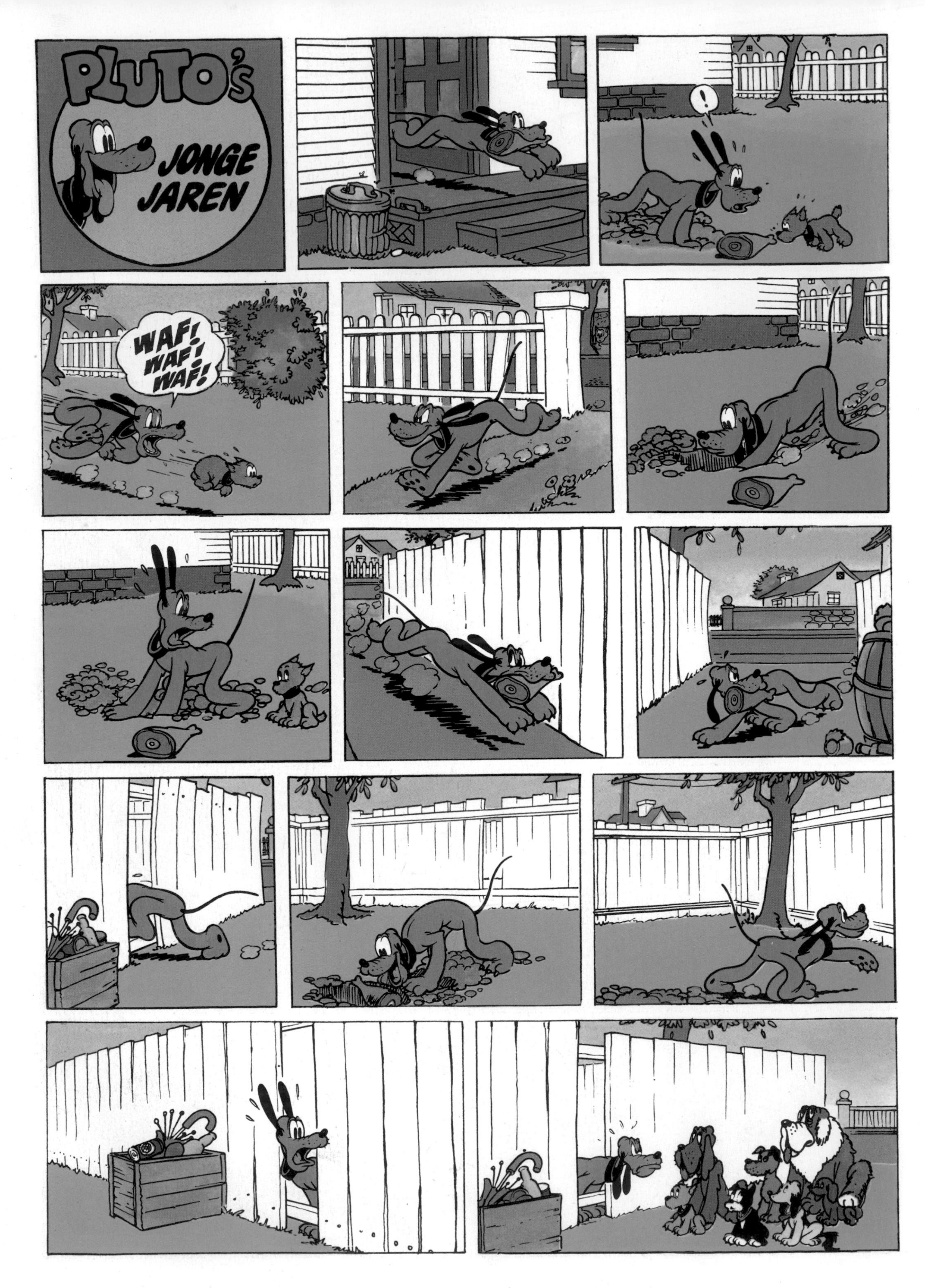
PLUTO'S
JONGE JAREN
!
WAF! WAF! WAF!

PLUTO's
JONGE
JAREN
?
?
?
?
KAI!
AIAI!

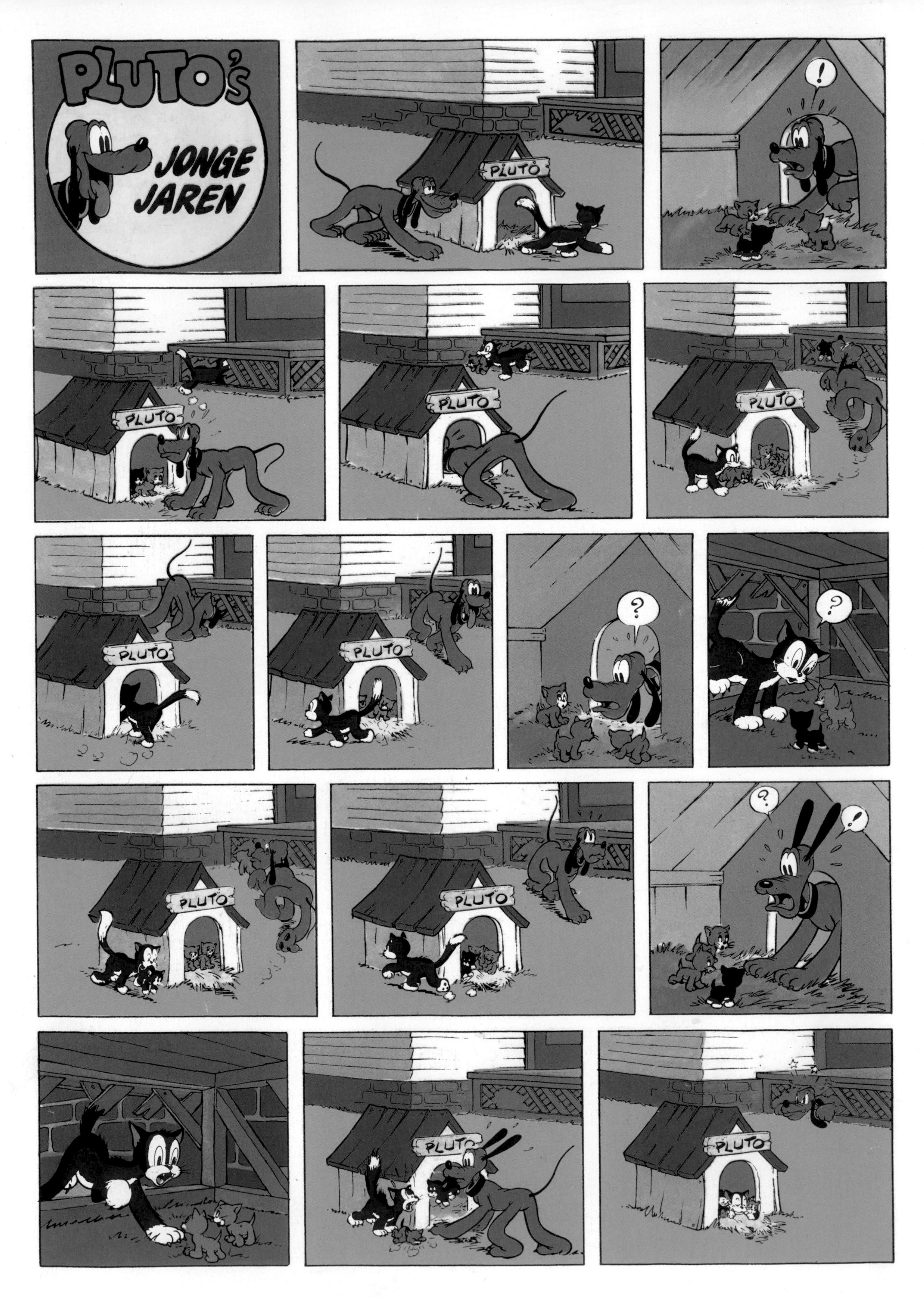
PLUTO'S
JONGE
JAREN
PLUTO
!
PLUTO
PLUTO
PLUTO
PLUTO
PLUTO
?
?
PLUTO
PLUTO
?
!
PLUTO
PLUTO

PLUTO's
JONGE
JAREN
SS-S-ST!
SS-S-S-ST!
S-S-ST!
BLUB!
SS-S-S-ST!
SS-S-ST!
S-ST!
SS-S-ST!

PLUTO's
JONGE JAREN

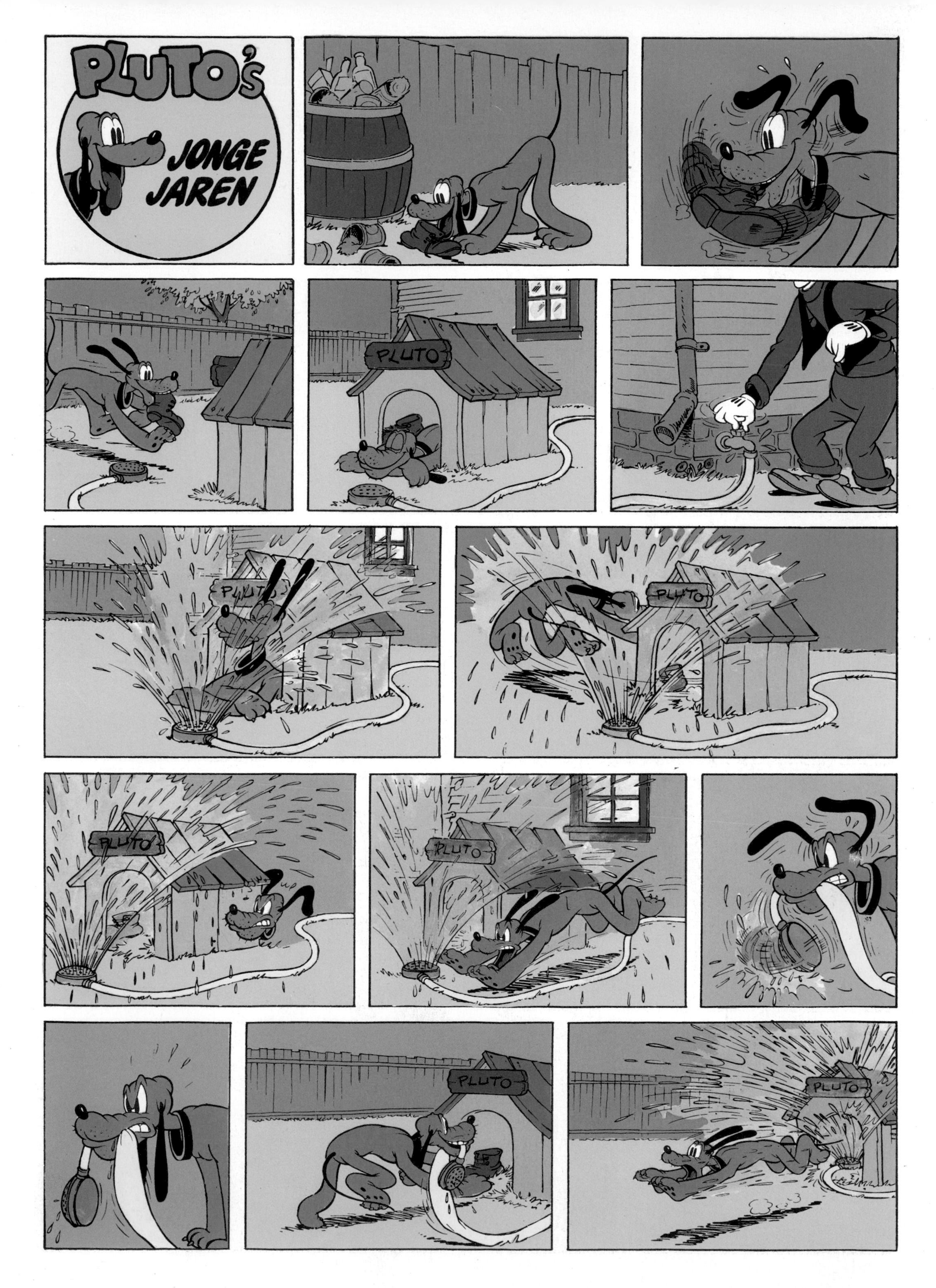
PLUTO's
JONGE
JAREN
PLUTO
PLUTO
PLUTO
PLUTO
PLUTO
PLUTO
PLUTO

PLUTO'S
JONGE JAREN
HOU NOU 'NS OP MET ME STEEDS ACHTERNA TE LOPEN!
?
?
PUT! PLUT! BANG!
?
!
RRRR RRRR
BAH! KUN JIJ NU NOOIT EENS LUISTEREN?

PLUTO's
JONGE
JAREN

!

SMAK

!

PLUTO

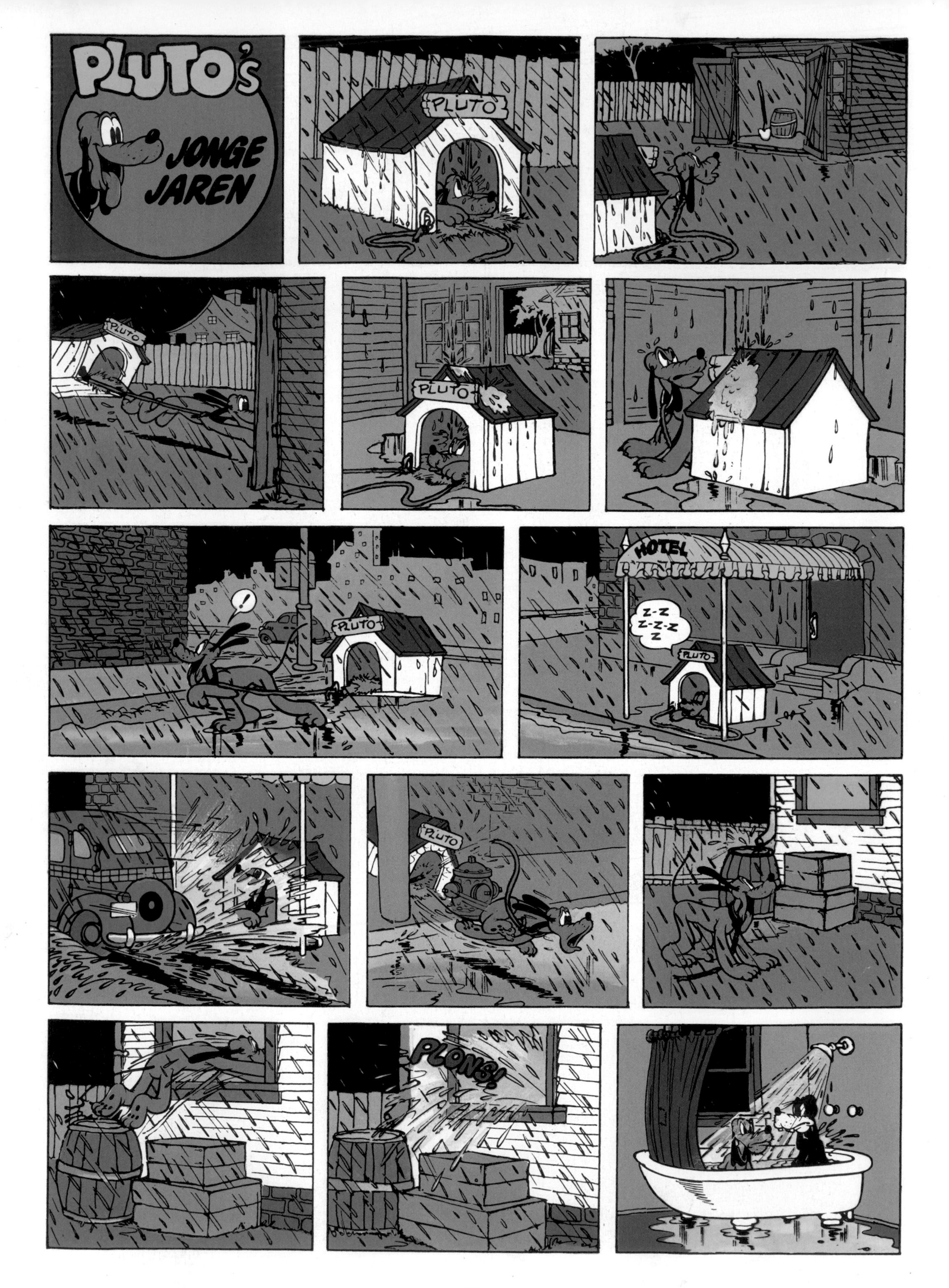
PLUTO's
JONGE JAREN
PLUTO
PLUTO
PLUTO
PLUTO
!
HOTEL
Z-Z
Z-Z-Z
Z
PLUTO
PLUTO
PLONS!

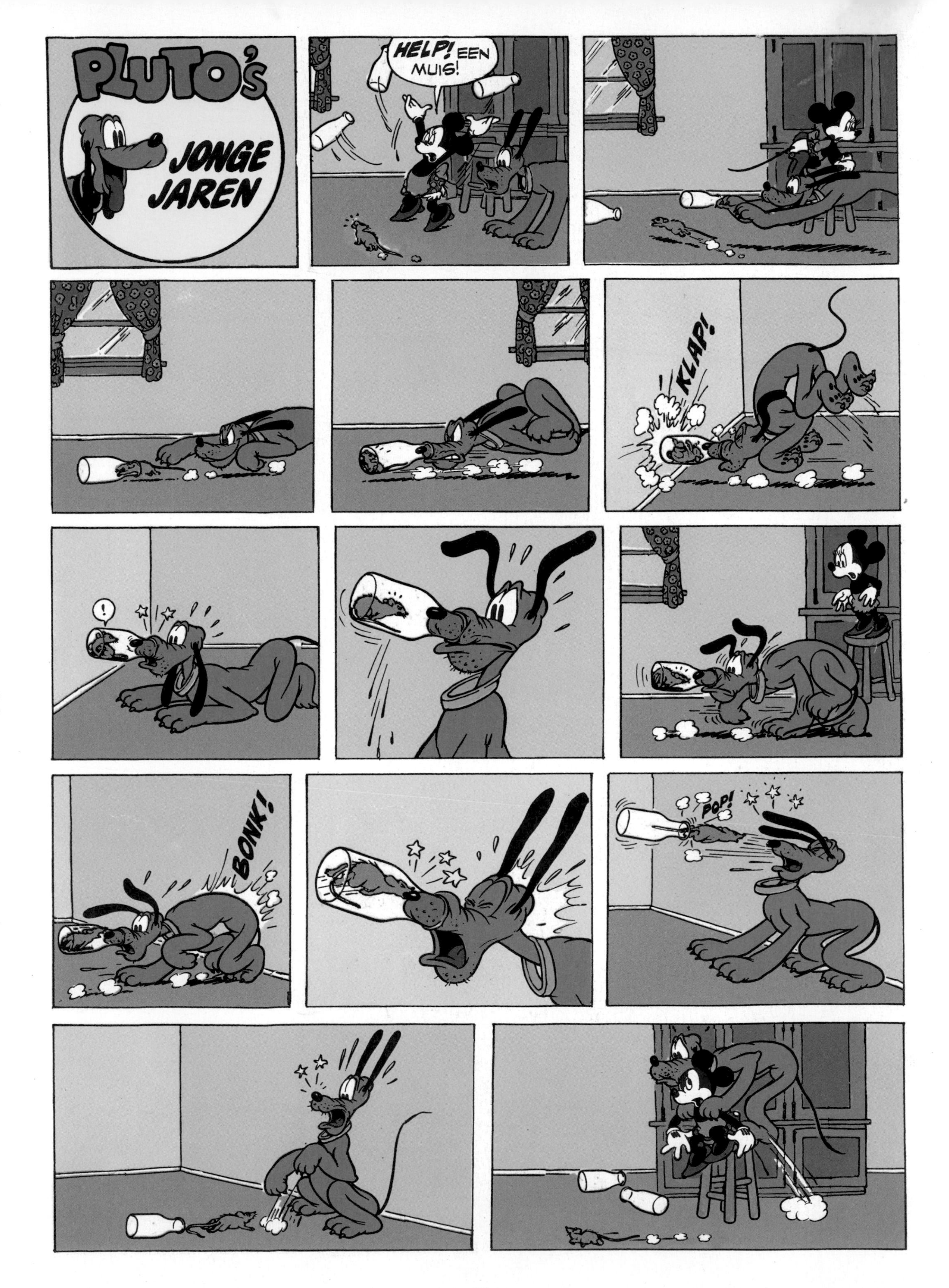
PLUTO'S
JONGE JAREN
HELP! EEN MUIS!
KLAP!
BONK!
POP!

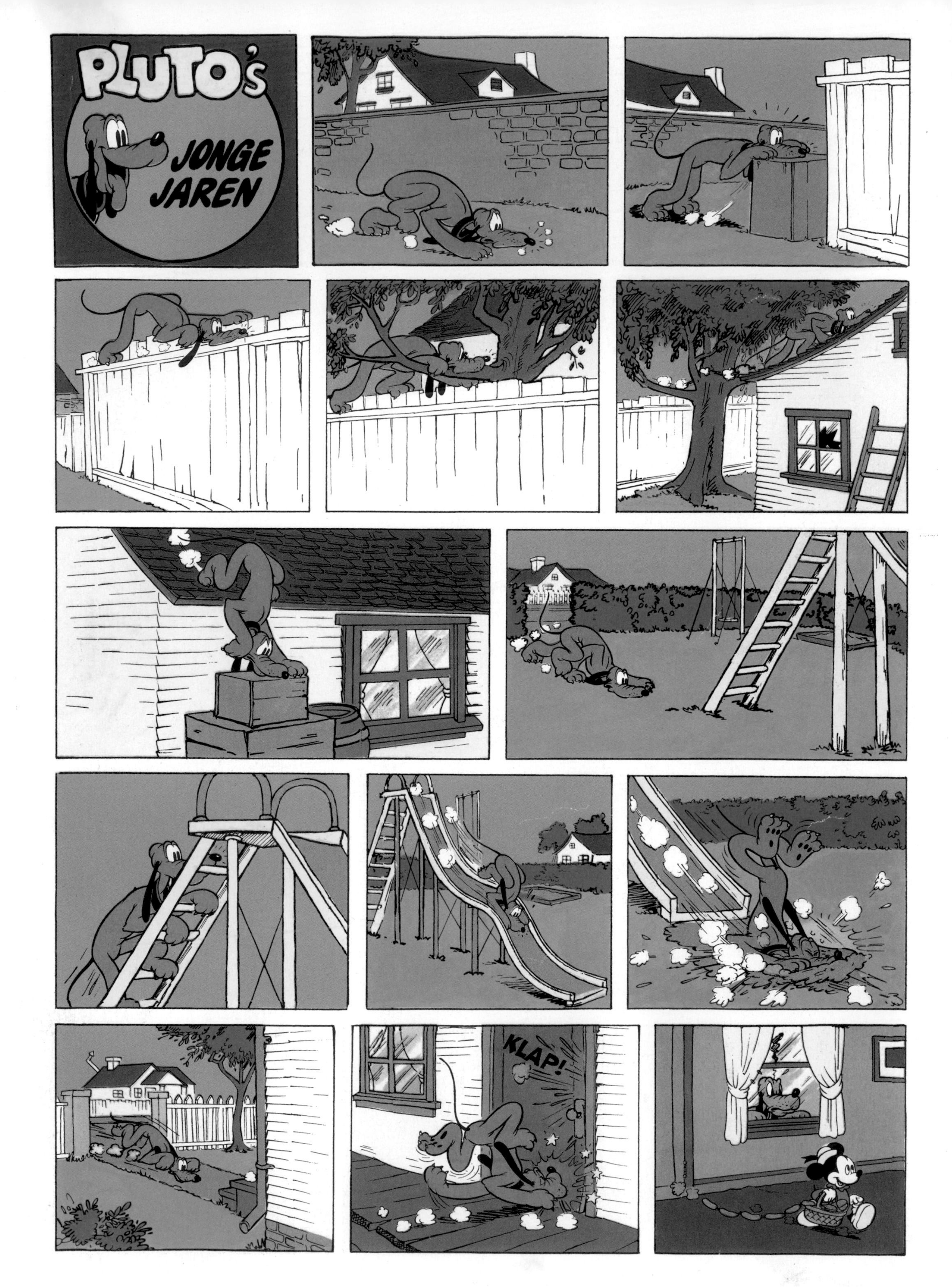

PLUTO's
JONGE JAREN
KLAP!

PLUTO'S
JONGE JAREN
PEDAAL-EMMER
KLANG!
KLANG!
KLANG!
KLETTER!
KLAP! KLONK!
OEWOE WOE!
GRR-R-R!
GROM!

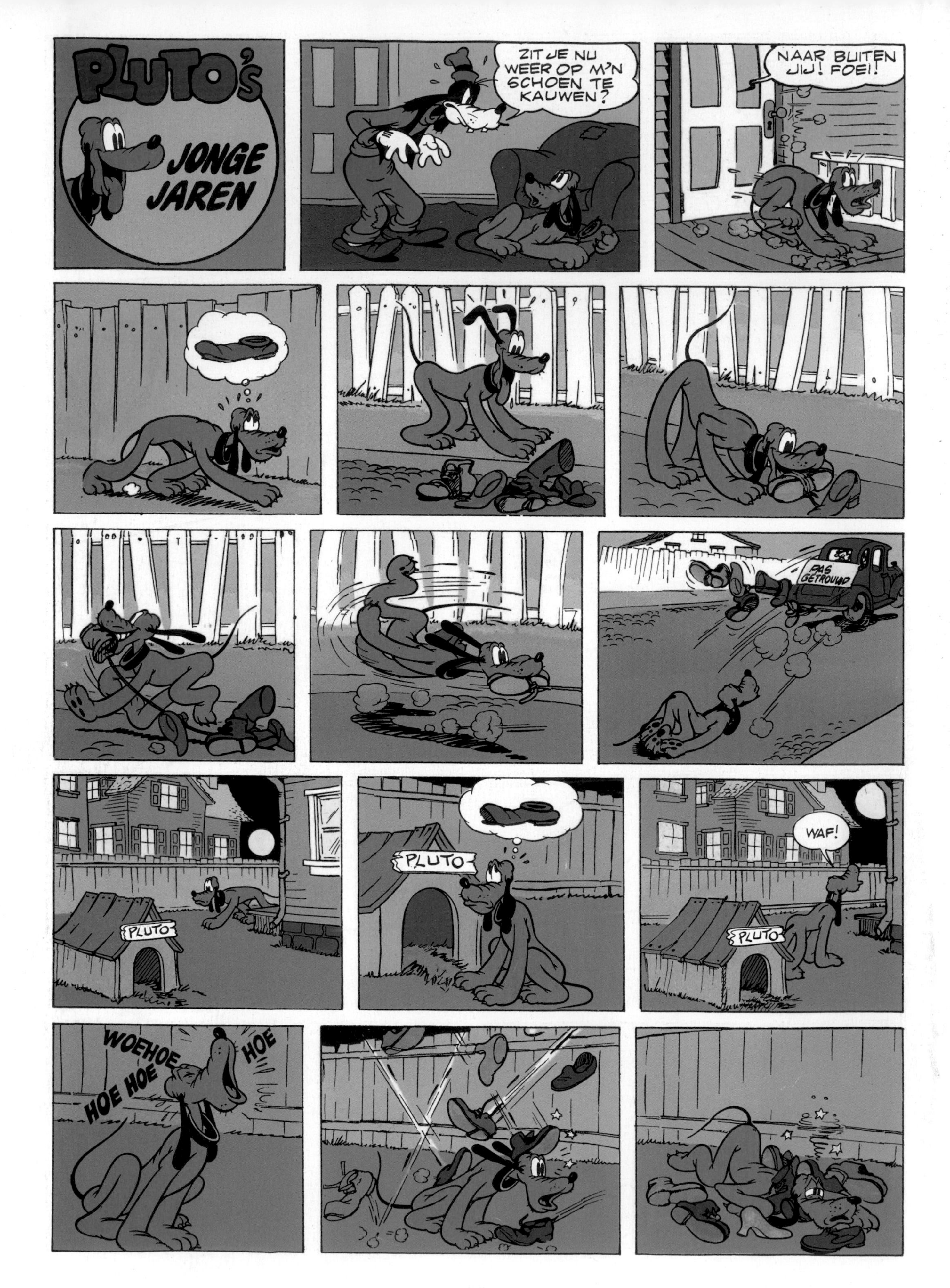
PLUTO's
JONGE JAREN
ZIT JE NU WEER OP M'N SCHOEN TE KAUWEN?
NAAR BUITEN JIJ! FOEI!
PAS GETROUWD
PLUTO
PLUTO
WAF!
PLUTO
WOEHOE HOE HOE HOE

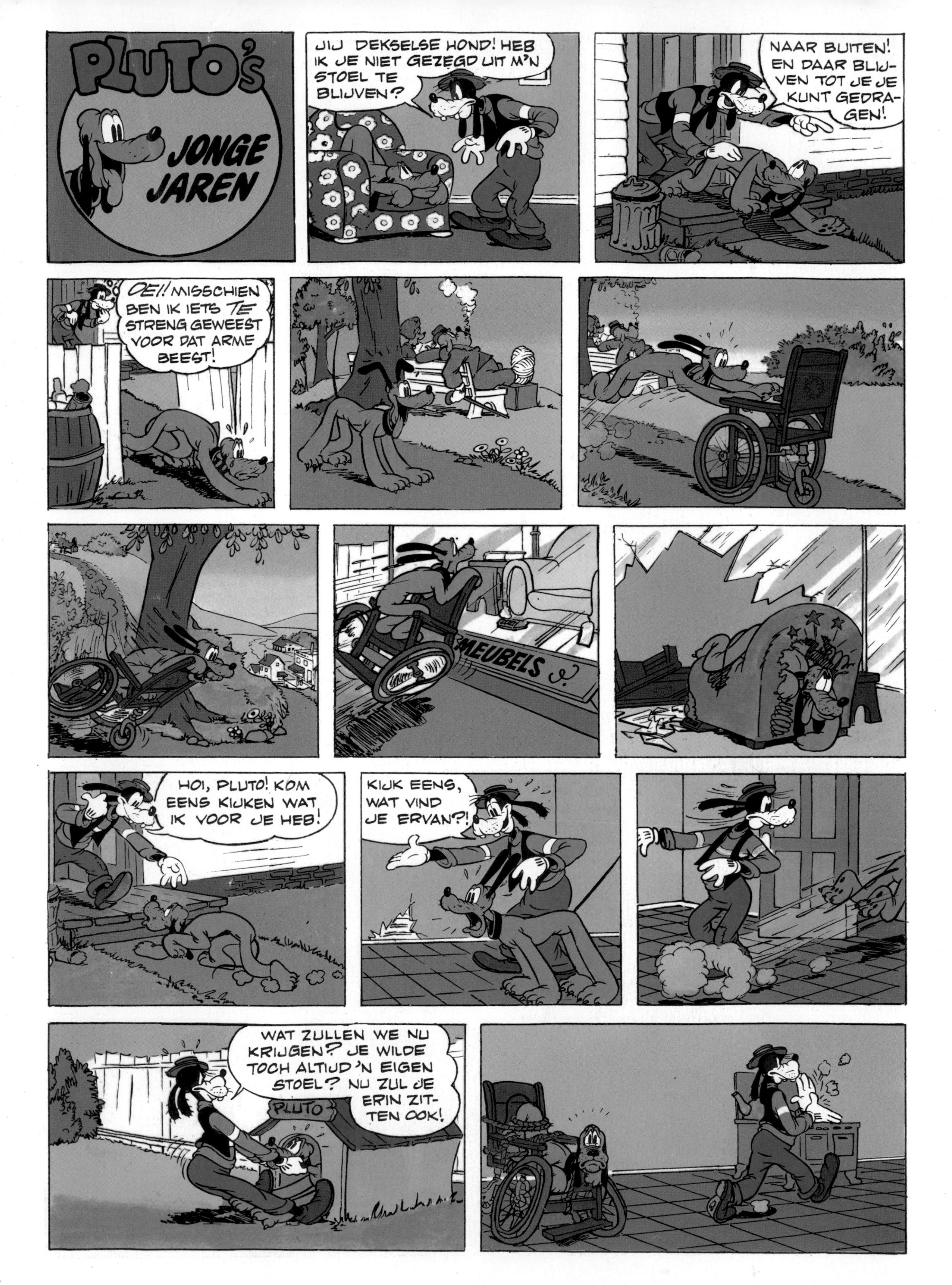
PLUTO's
JONGE JAREN
JIJ DEKSELSE HOND! HEB IK JE NIET GEZEGD UIT M'N STOEL TE BLIJVEN?
NAAR BUITEN! EN DAAR BLIJ-VEN TOT JE JE KUNT GEDRA-GEN!
OEI! MISSCHIEN BEN IK IETS TE STRENG GEWEEST VOOR DAT ARME BEEST!
MEUBELS
HOI, PLUTO! KOM EENS KIJKEN WAT IK VOOR JE HEB!
KIJK EENS, WAT VIND JE ERVAN?!
WAT ZULLEN WE NU KRIJGEN? JE WILDE TOCH ALTIJD 'N EIGEN STOEL? NU ZUL JE ERIN ZIT-TEN OOK!
PLUTO

PLUTO's
JONGE JAREN
NEE, PLUTO! JE MAG NIET MET POESJES SPELEN!
SSHHHH!
JIJ BLIJFT HIER TOT MICKEY JE KOMT HALEN, EN DENK ERAAN... NERGENS AANKOMEN!!
!
SSHHH!
SSHHHH!
!
!
!

PLUTO'S
JONGE JAREN
OH, HELP! MIJN KLEINE FIFI WORDT BIJNA OVERREDEN!
VLUCHT-HEUVEL
TOET!
TÓEÓET!
VLUCHT-HEUVEL
BRUUT DIE JE BENT! LAAT FIFI ONMIDDEL-LIJK LOS!!
HOE DÙRF JE MIJN KLEINE SCHATJE ZO TE MISHANDELEN?
IÉIÉKS!!
VLUCHT-HEUVEL

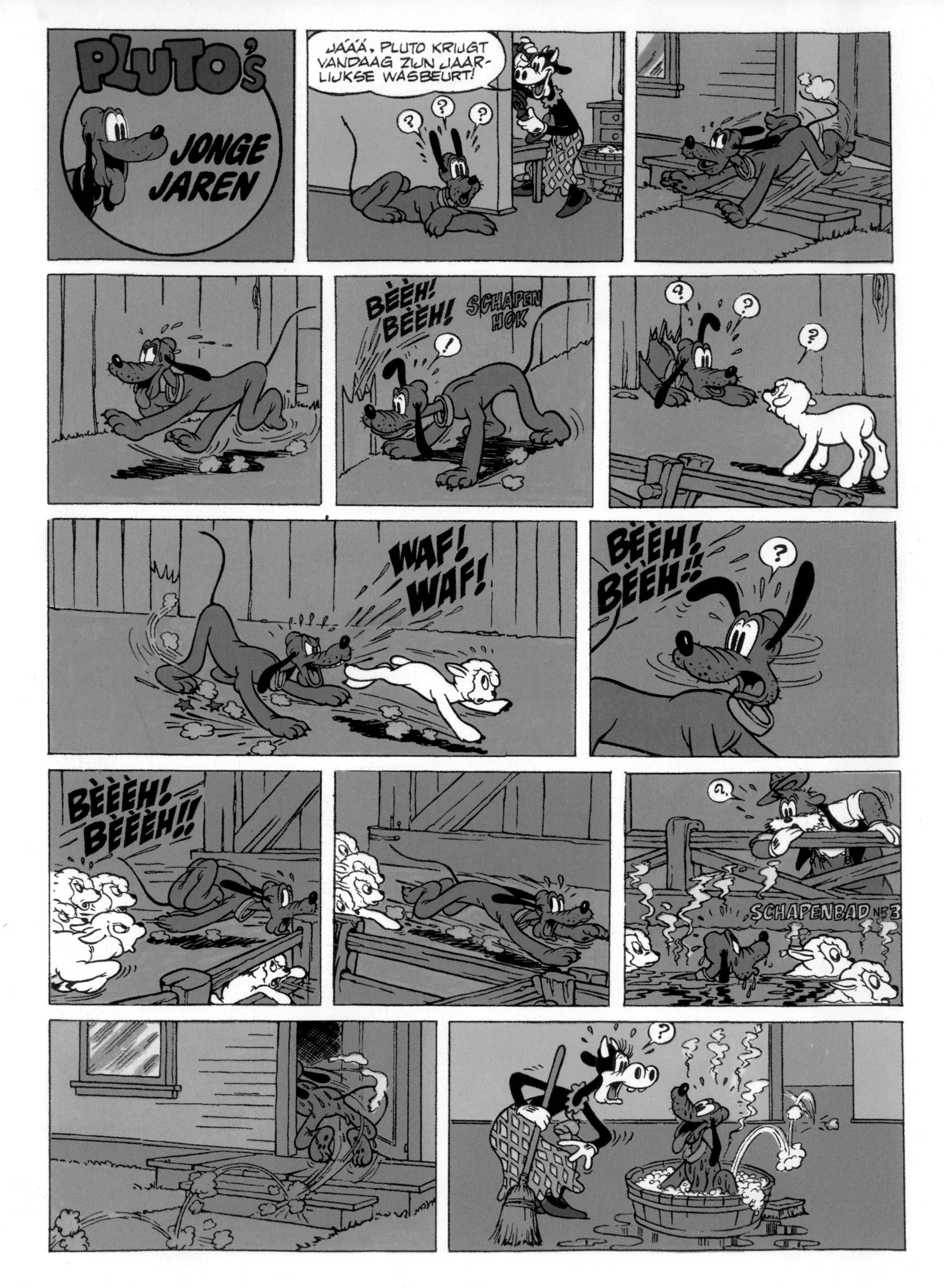
PLUTO'S
JONGE JAREN
JÀÀÀ, PLUTO KRIJGT VANDAAG ZIJN JAAR-LIJKSE WASBEURT!
?
?
?
BÈÈH! BÈÈH!
SCHAPEN HOK
!
?
?
?
WAF! WAF!
BÈÈH! BÈÈH!!
?
BÈÈÈH! BÈÈÈH!!
?
SCHAPENBAD NR 3
?

PLUTO'S
JONGE JAREN
ALS IK JOU NOG EENS KATTEN ZIE NAJAGEN, DAN ZWAAIT ER WAT!
VISWINKEL
GEZOUTEN HARING
GEZOUTEN HARING
PLONS!
?
GEZOUTEN HARING
AHA!
KATTEN ACHTERNAZITTEN, HÊ?!

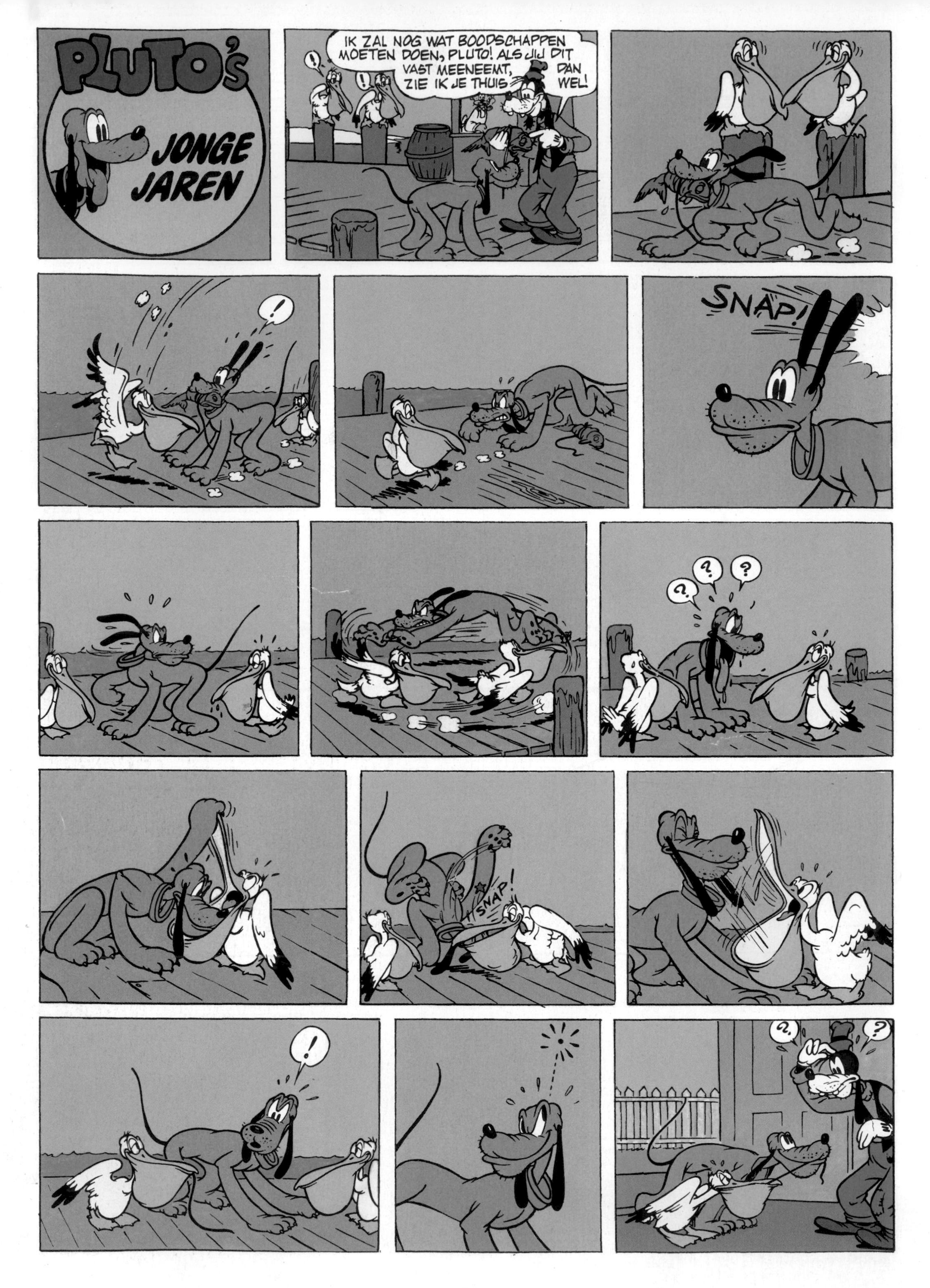
PLUTO's
JONGE JAREN
IK ZAL NOG WAT BOODSCHAPPEN MOETEN DOEN, PLUTO! ALS JIJ DIT VAST MEENEEMT, DAN ZIE IK JE THUIS WEL!
SNAP!
SNAP!

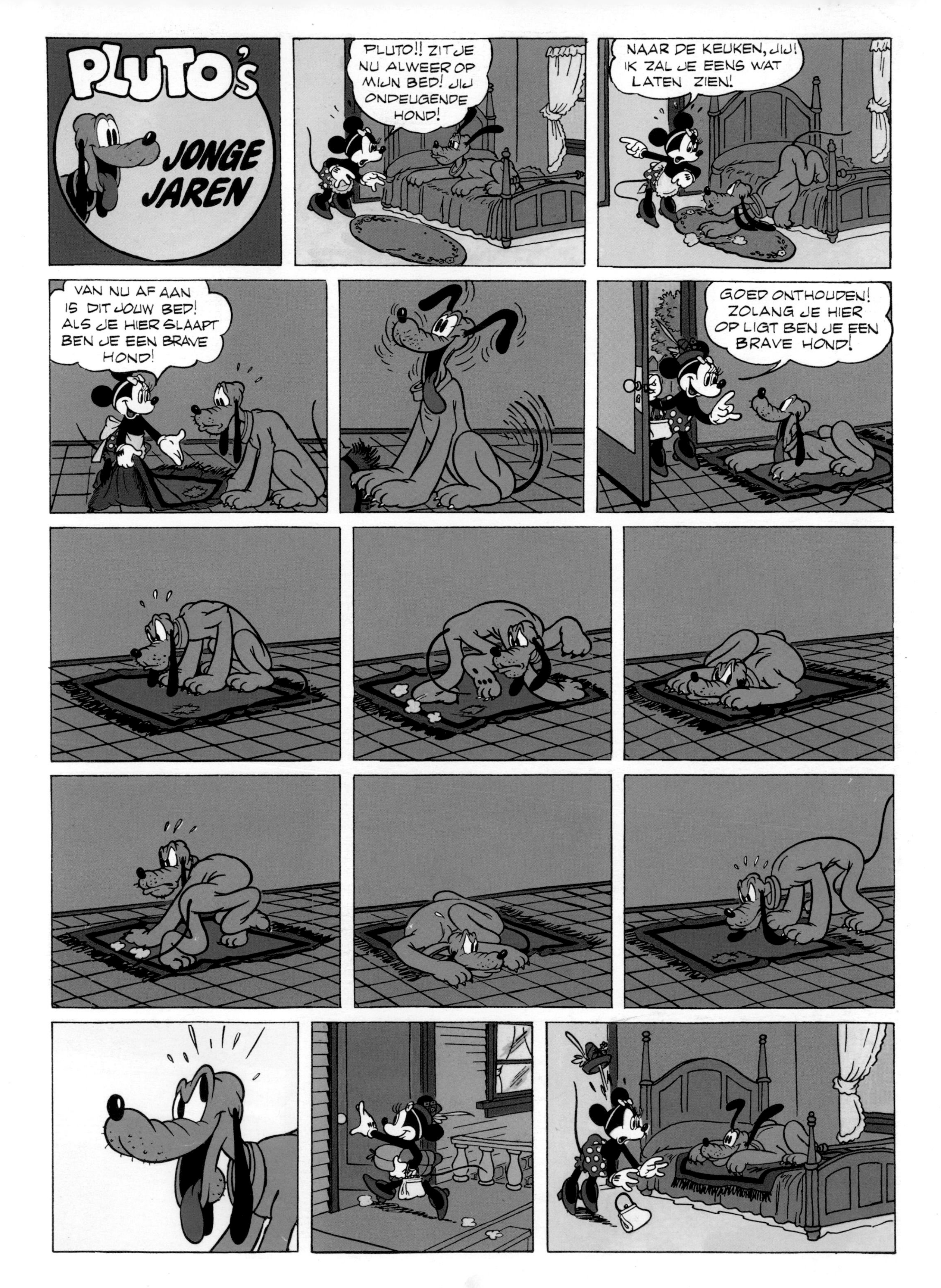
PLUTO's
JONGE JAREN
PLUTO!! ZIT JE NU ALWEER OP MIJN BED! JIJ ONDEUGENDE HOND!
NAAR DE KEUKEN, JIJ! IK ZAL JE EENS WAT LATEN ZIEN!
VAN NU AF AAN IS DIT JOUW BED! ALS JE HIER SLAAPT BEN JE EEN BRAVE HOND!
GOED ONTHOUDEN! ZOLANG JE HIER OP LIGT BEN JE EEN BRAVE HOND!

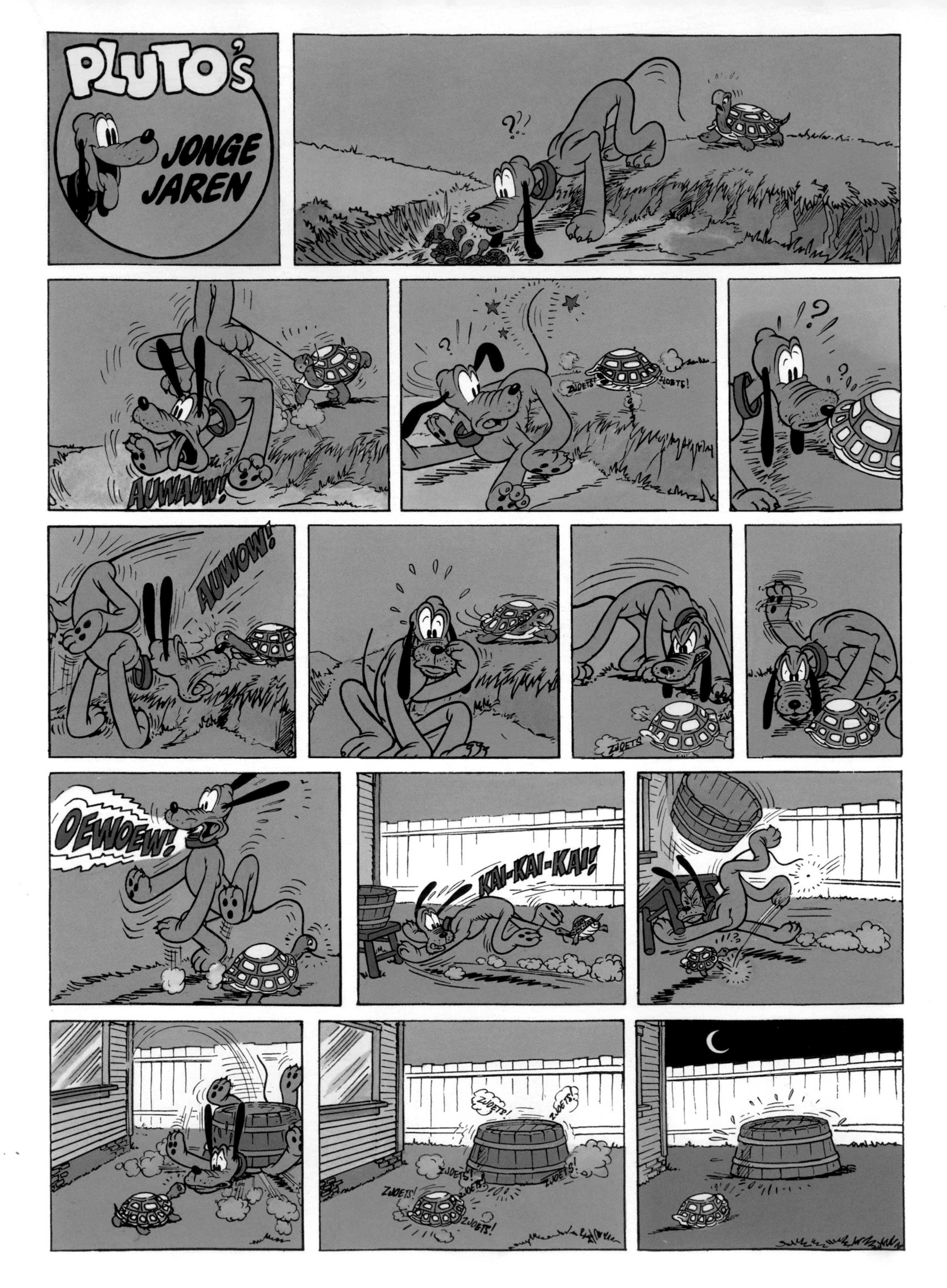
PLUTO's
JONGE JAREN
AUWAUW!
ZJOETS!
ZJOETS!
AUWOW!
ZJOETS!
OEWOEW!
KAI-KAI-KAI!
ZJOETS!
ZJOETS!
ZJOETS!
ZJOETS!
ZJOETS!
ZJOETS!

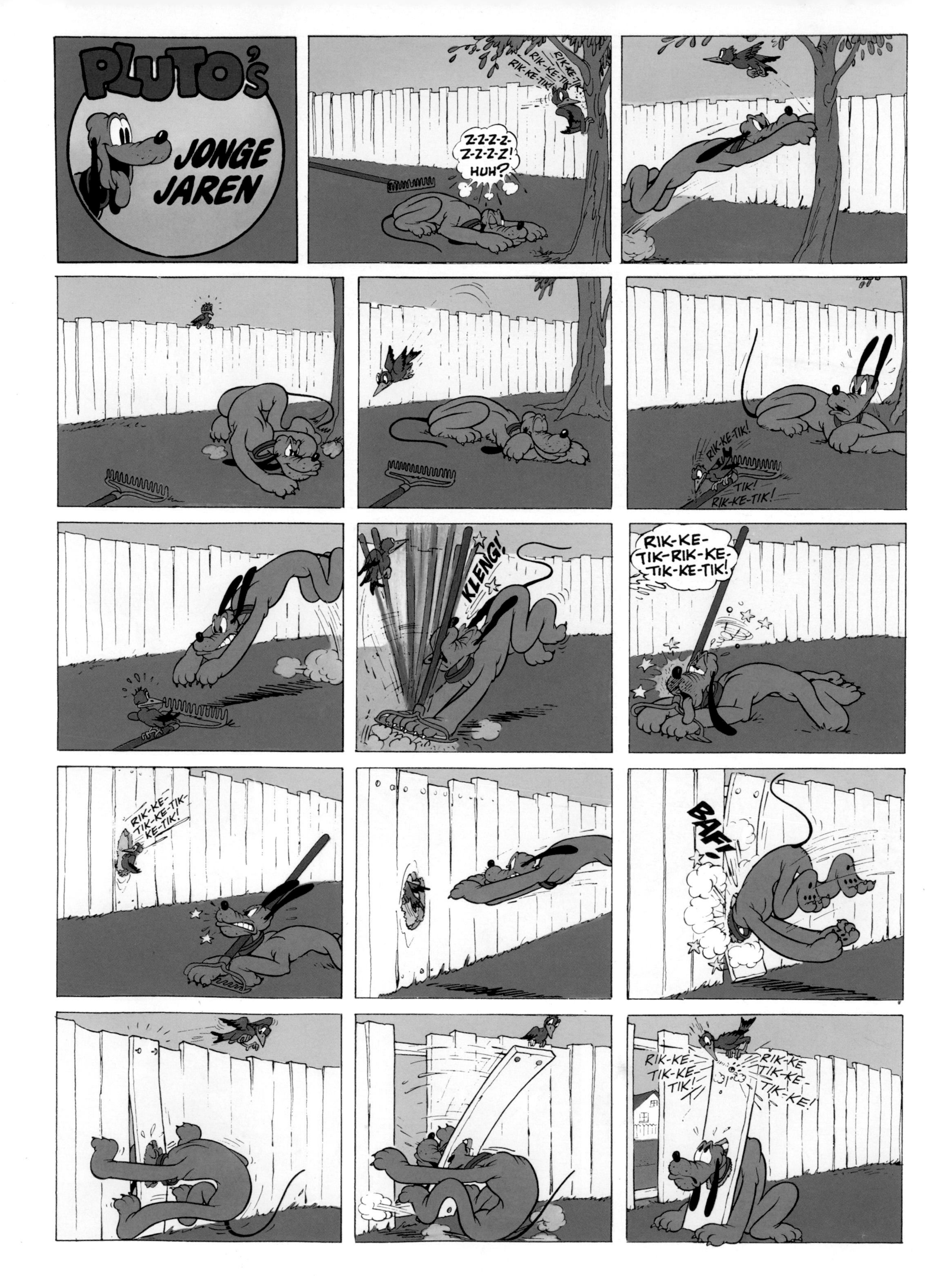
PLUTO'S
JONGE
JAREN
RIK-KE-TIK!
RIK-KE-TIK!
RIK-KE-TIK!
Z-Z-Z-Z-
Z-Z-Z-Z!
HUH?
RIK-KE-TIK!
TIK!
RIK-KE-TIK!
KLENG!
RIK-KE-
TIK-RIK-KE-
TIK-KE-TIK!
RIK-KE-
TIK-KE-TIK-
KE-TIK!
BAF!
RIK-KE-
TIK-KE-
TIK!
RIK-KE
TIK-KE-
TIK-KE!

PLUTO'S
JONGE JAREN
MIJN NEEF KALFJE KOMT BIJ ONS LOGEREN, PLUTO! ZUL JE AARDIG TEGEN HEM ZIJN?
HOP PAARD!
KLIK-KLAK! KLIK-KLAK!
KLETS! ZWIEP!
KAI-AI!!!
GR-R-R-R-R
GR-R-R!
WÈH!
HOP PAARD!

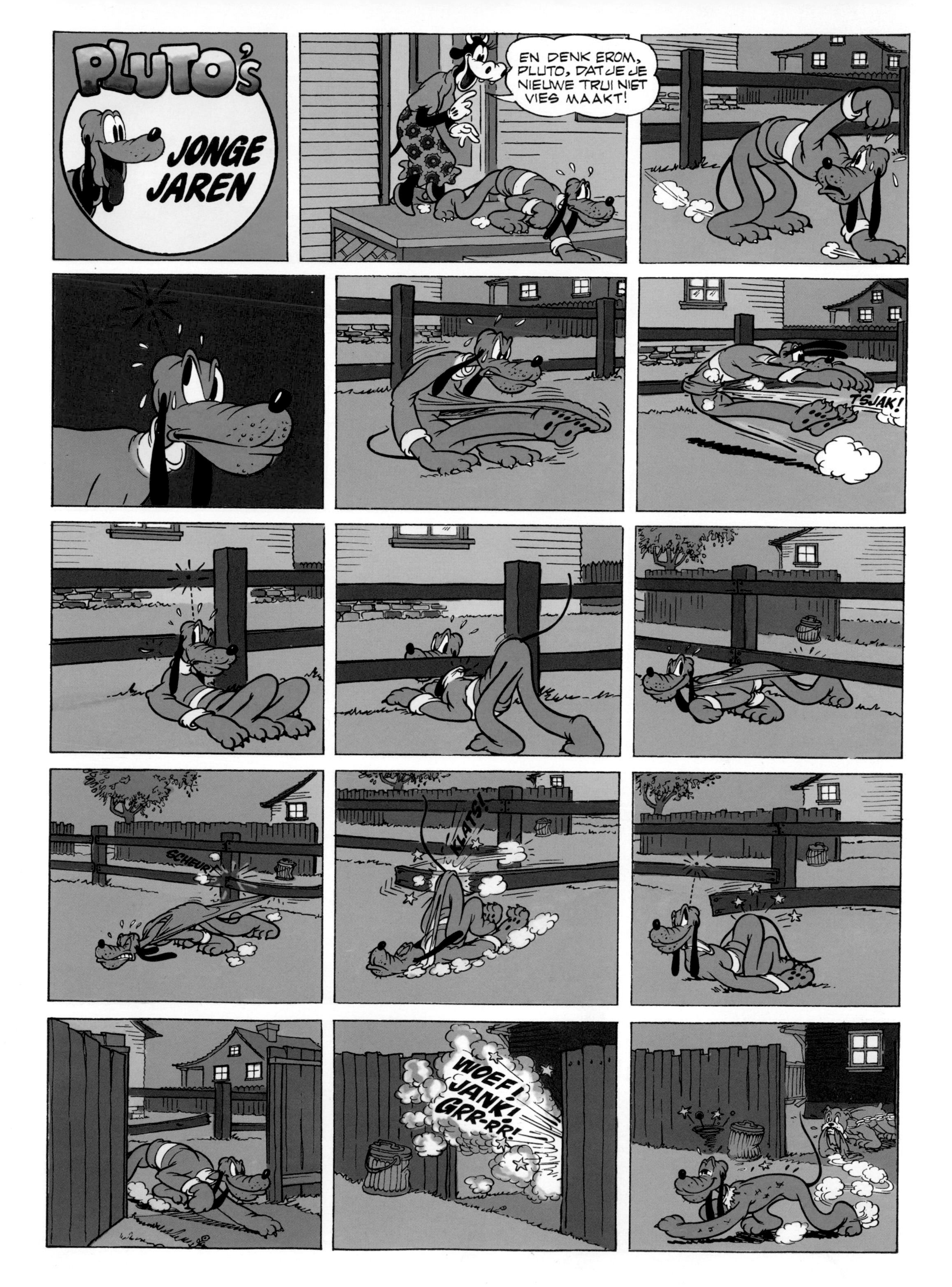
PLUTO'S
JONGE
JAREN
EN DENK EROM, PLUTO, DAT JE JE NIEUWE TRUI NIET VIES MAAKT!
TSJAK!
SCHEUR!
KLATS!
WOEF! JANK! GRR-RR!

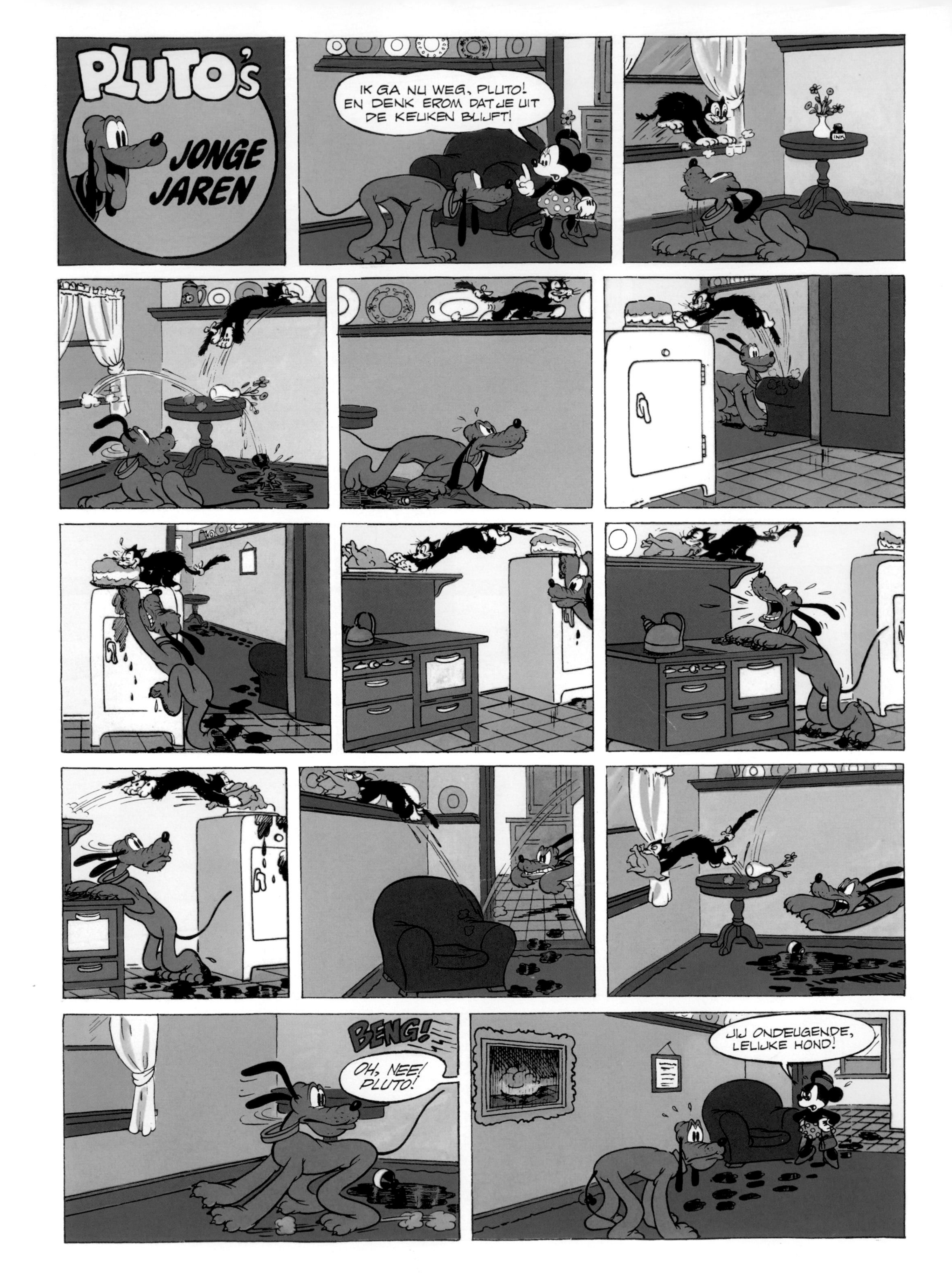
PLUTO'S
JONGE JAREN
IK GA NU WEG, PLUTO! EN DENK EROM DAT JE UIT DE KEUKEN BLIJFT!
INK
BENG!
OH, NEE! PLUTO!
JIJ ONDEUGENDE, LELIJKE HOND!

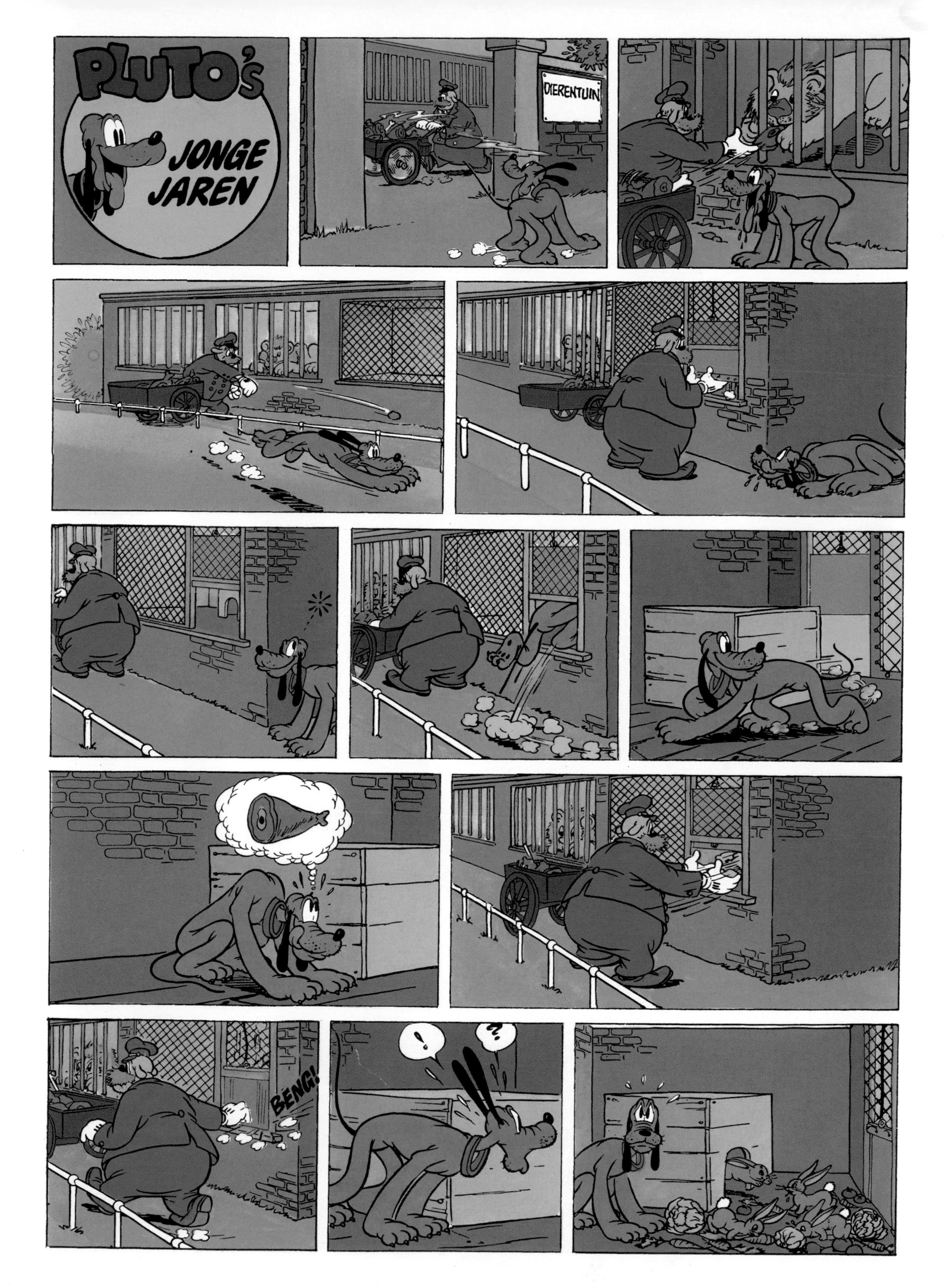
PLUTO's
JONGE
JAREN
DIERENTUIN
BENG!
!
?

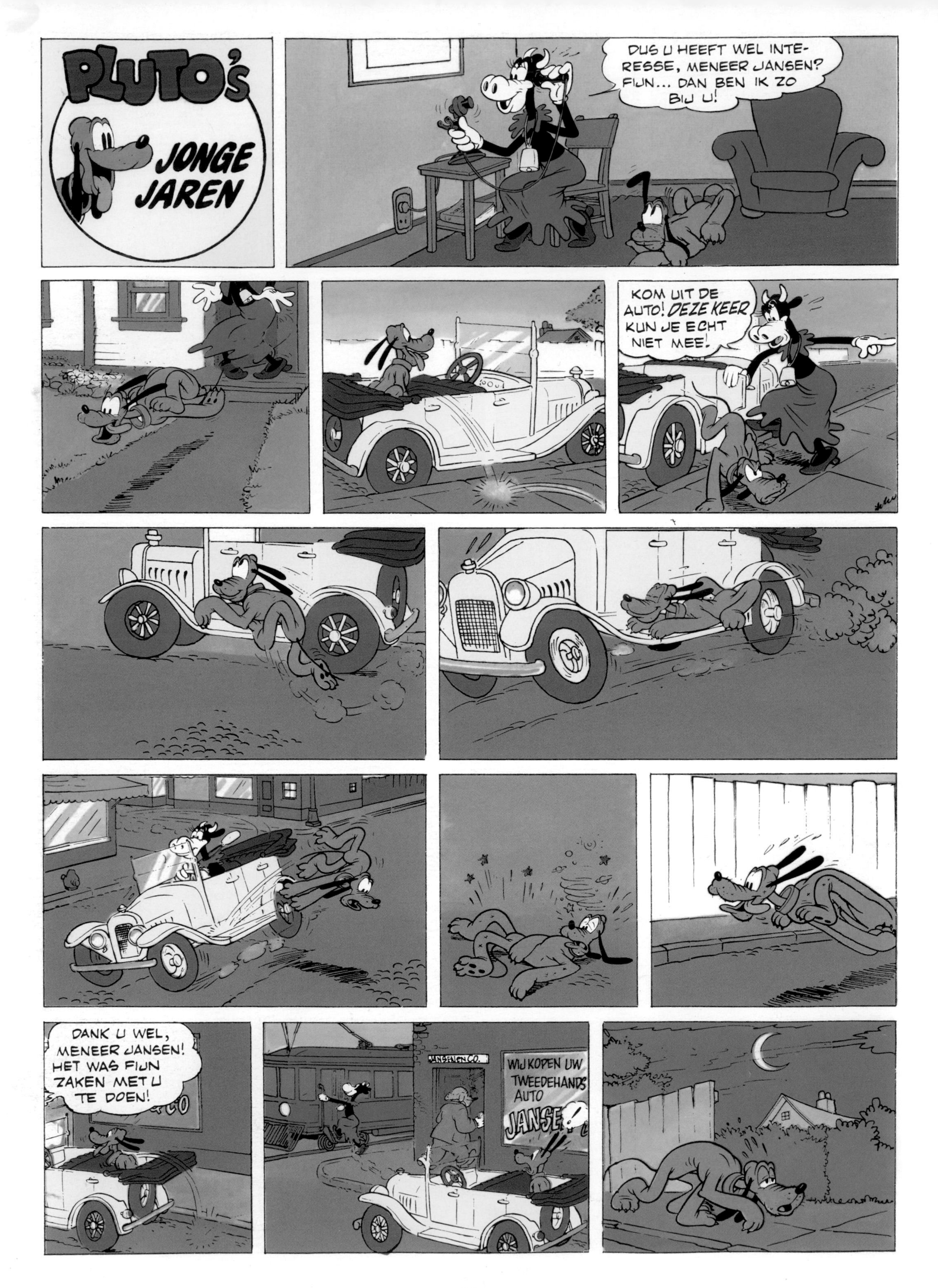
PLUTO'S
JONGE JAREN
DUS U HEEFT WEL INTERESSE, MENEER JANSEN? FIJN... DAN BEN IK ZO BIJ U!
KOM UIT DE AUTO! DEZE KEER KUN JE ECHT NIET MEE!
DANK U WEL, MENEER JANSEN! HET WAS FIJN ZAKEN MET U TE DOEN!
JANSEN en CO.
WIJ KOPEN UW TWEEDEHANDS AUTO
JANSE

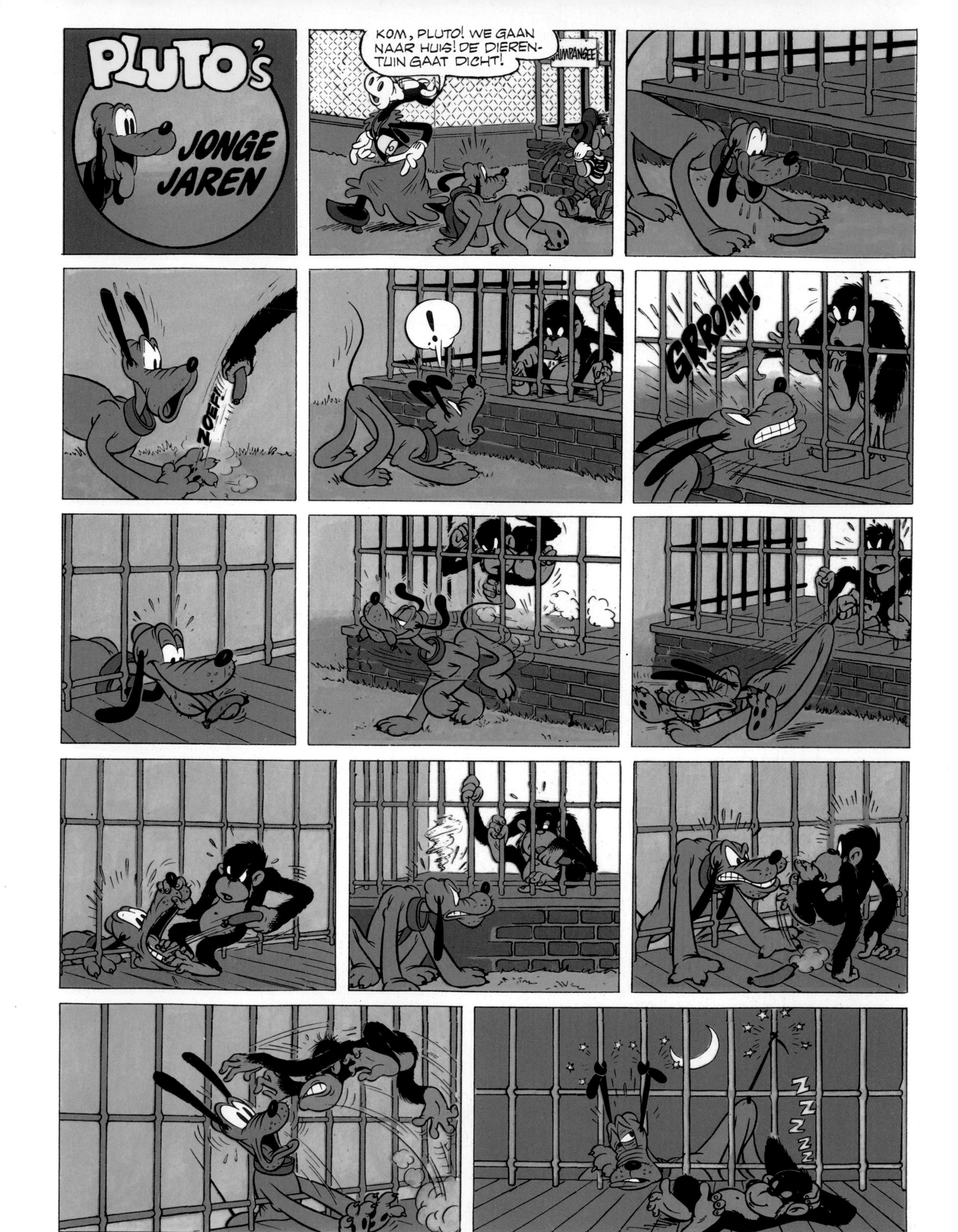
PLUTO's
JONGE JAREN
KOM, PLUTO! WE GAAN NAAR HUIS! DE DIERENTUIN GAAT DICHT!
CHIMPANSEE
ZOEF!
!
GRROM!
Z Z Z Z

PLUTO'S
JONGE JAREN
WOEF! WAF! WOEF!
PLUTO! PLU-U-TO! KOM HIER!
HOE VAAK HEB IK JE AL GEZEGD DAT HET GEVAARLIJK IS OM OP DE RIJWEG TE LOPEN? VAN NU AF AAN BLIJF JE OP DE STOEP!
BAF!

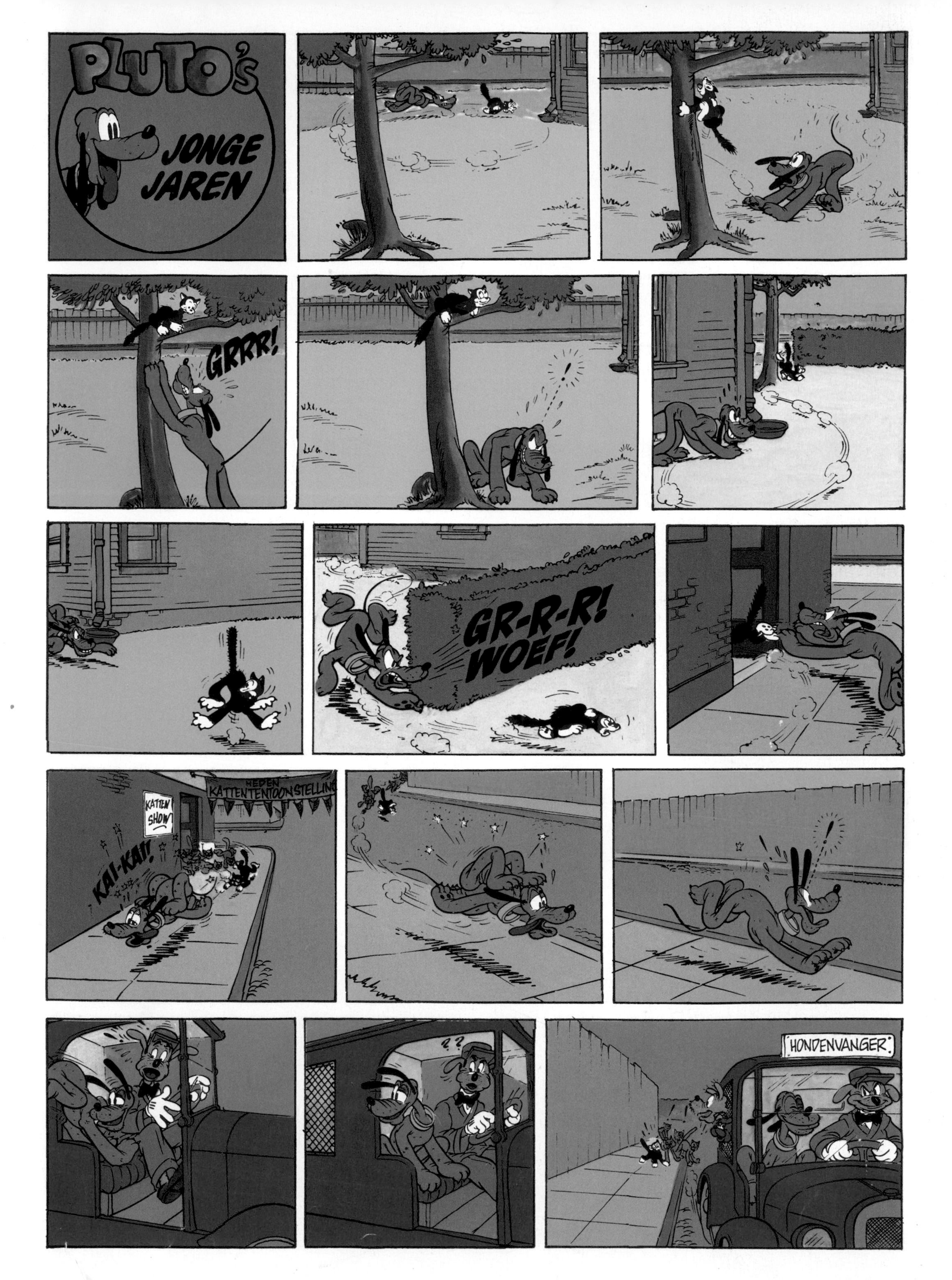
PLUTO's
JONGE JAREN
GRRR!
GR-R-R! WOEF!
KATTEN SHOW
HEDEN KATTENTENTOONSTELLING
KAI-KAI!
HONDENVANGER

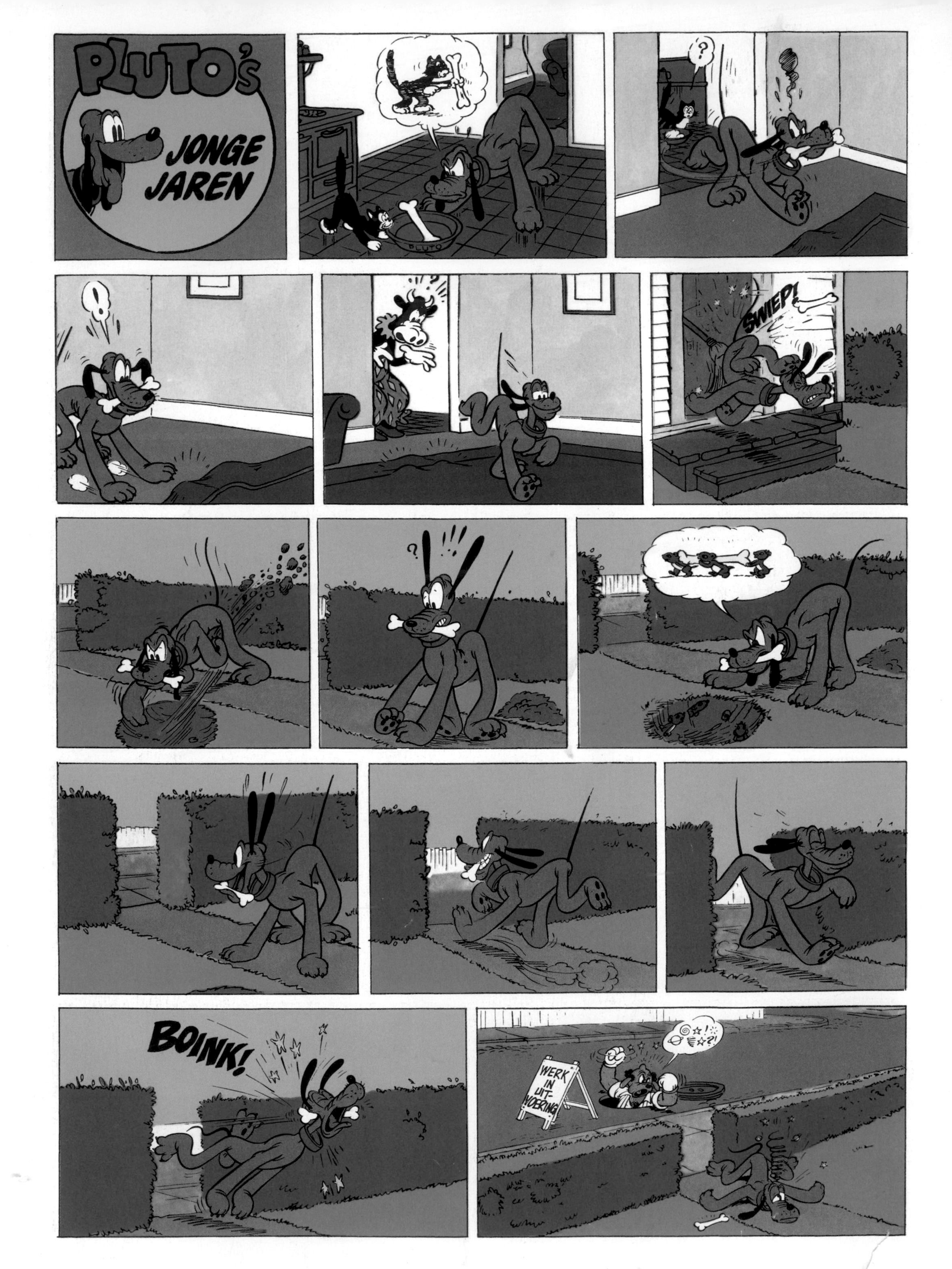
PLUTO'S
JONGE JAREN
PLUTO
?
!
SWIEP!
?
BOINK!
WERK IN UIT-VOERING

PLUTO'S
JONGE JAREN
KAARTEN HIER VERKRIJGBAAR
LEVEND SKELET
ZO! DUS JE BENT ME WEER ACHTERNA GEKOMEN! NU GA JE DIRECT NAAR HUIS! LAAT IK JE NIET MEER ZIEN!
SNIF! SNIF!
!
? ?
!

PLUTO'S
JONGE JAREN
Honden-race!
AANVANG 2 UUR 'S MIDDAGS
GOED ONTHOUDEN, PLUTO, JE BRENGT DIT BALLETJE BIJ ME TERUG VÓÓR DE ANDERE HONDEN! DAT IS HET ENIGE WAT JE MOET DOEN OM DE RACE TE WINNEN!
SNIF!
SNIF!
SNUF!
SNIF!
SNIF!
SNUF!
!
!!
!!
GRR-R-RRR-RR!!
SLIK!
?
?
?
!

PLUTO'S
JONGE JAREN
PLUTO
GRRR... WAF!
PLOP!
!
PLUTO
PLUTO

PLUTO'S
JONGE JAREN
RINKEL!
RINKEL!
?
RINKEL!
RINKEL!
RINKEL!
RINKEL!
RINKEL!
RINKEL!
RINKEL!
RINKEL!
S-S-SCHEUR!
HONDEN-
KENNEL
DIEREN-
WINKEL
RINKEL!
RINKEL!

PLUTO's
JONGE JAREN
PLUTO, IK WIL DAT JE HIER BLIJFT EN GOED OPLET DAT DE KIPPEN VAN DE BUREN NIET IN MIJN NIEUWE TUINTJE KOMEN!
Z Z Z Z Z Z
AUWOW!
GRRRRR!
Z-Z Z Z-Z
SLIK!
Z Z-Z-Z -ZZ-
Z-Z Z-Z
GRR-R-R-R
!
KLATS!

PLUTO's
JONGE JAREN
?
KRATS! KRATS! KRATS!
!?
GRR-R-OOM! WOEF!
PUF! HIJG!
GRR-RRR!
ZOEF!
?
?
?
SNUF! SNUF!
WERK-PLAATS
GRR-ROOOM!
KLENG!
BAF!
GIETIJZEREN BEELDEN
WERK-PLAATS

PLUTO's
JONGE JAREN
BZ-Z-Z
BZ-Z-Z-Z
BZ-Z-Z
BZZ-Z-Z-Z
STROOP
BZ-Z-Z-Z
BZ-Z
BUZZ
BZ-Z-Z
STROOP
!
WOEF! WAF! BLAF!
?
STROOP

STROOP

BZZ
BZ-Z-Z
BZ-Z-
BZZ
GRRR!
STROOP
KRAAK!
KLEDDER!
STROOP

GRRRR!
STROOP

AHA!
STROOP

STROOP
KAIIII!

PLUTO
BZ-Z-Z
BZ-Z-Z
BZZZ
BZ-Z-Z

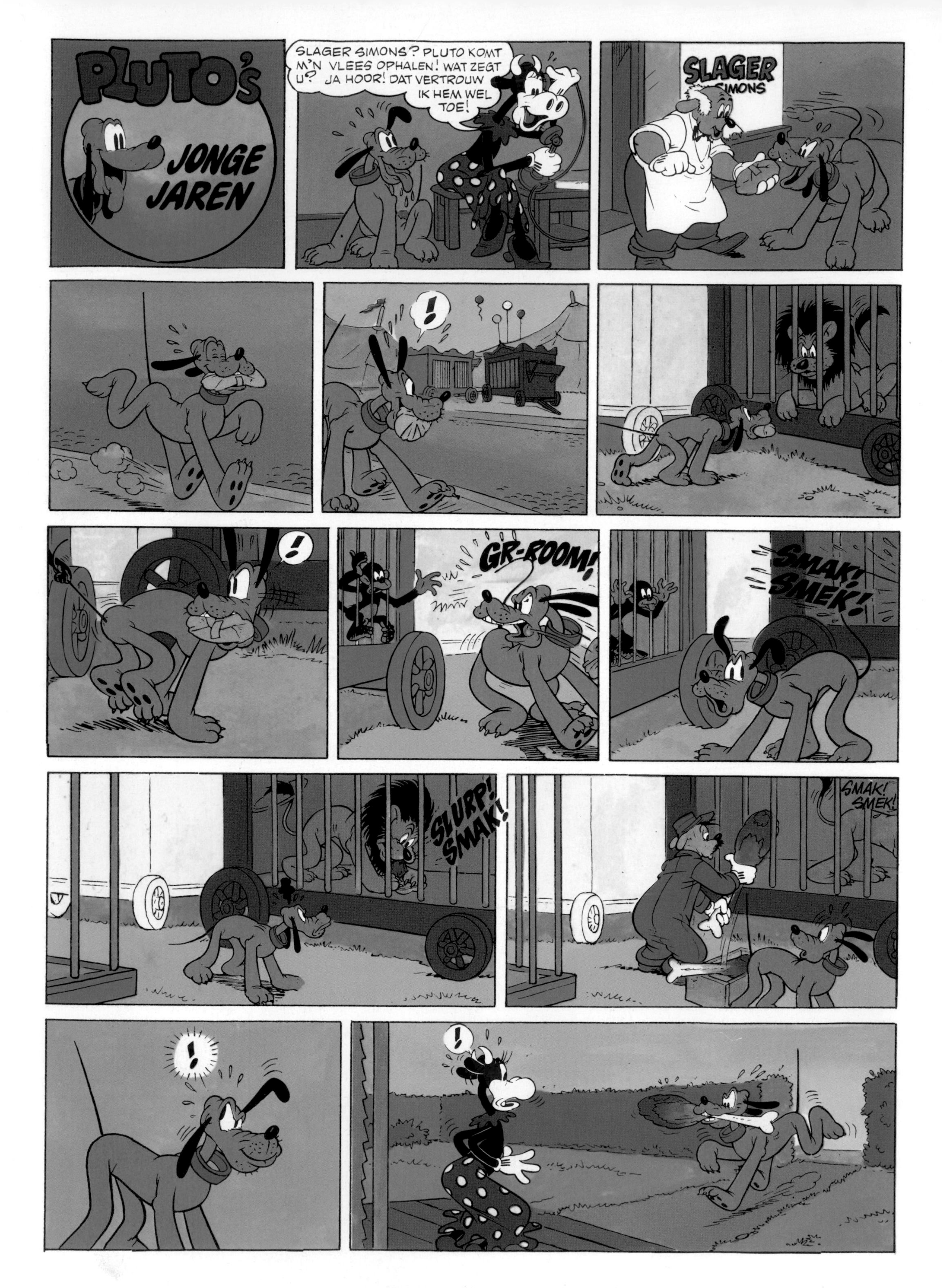
PLUTO's
JONGE JAREN
SLAGER SIMONS? PLUTO KOMT M'N VLEES OPHALEN! WAT ZEGT U? JA HOOR! DAT VERTROUW IK HEM WEL TOE!
SLAGER SIMONS
!
GR-ROOM!
!
SMAK! SMEK!
SLURP! SMAK!
SMAK! SMEK!
!
!

PLUTO's
JONGE
JAREN

CAFE

KLATS!

CAFE

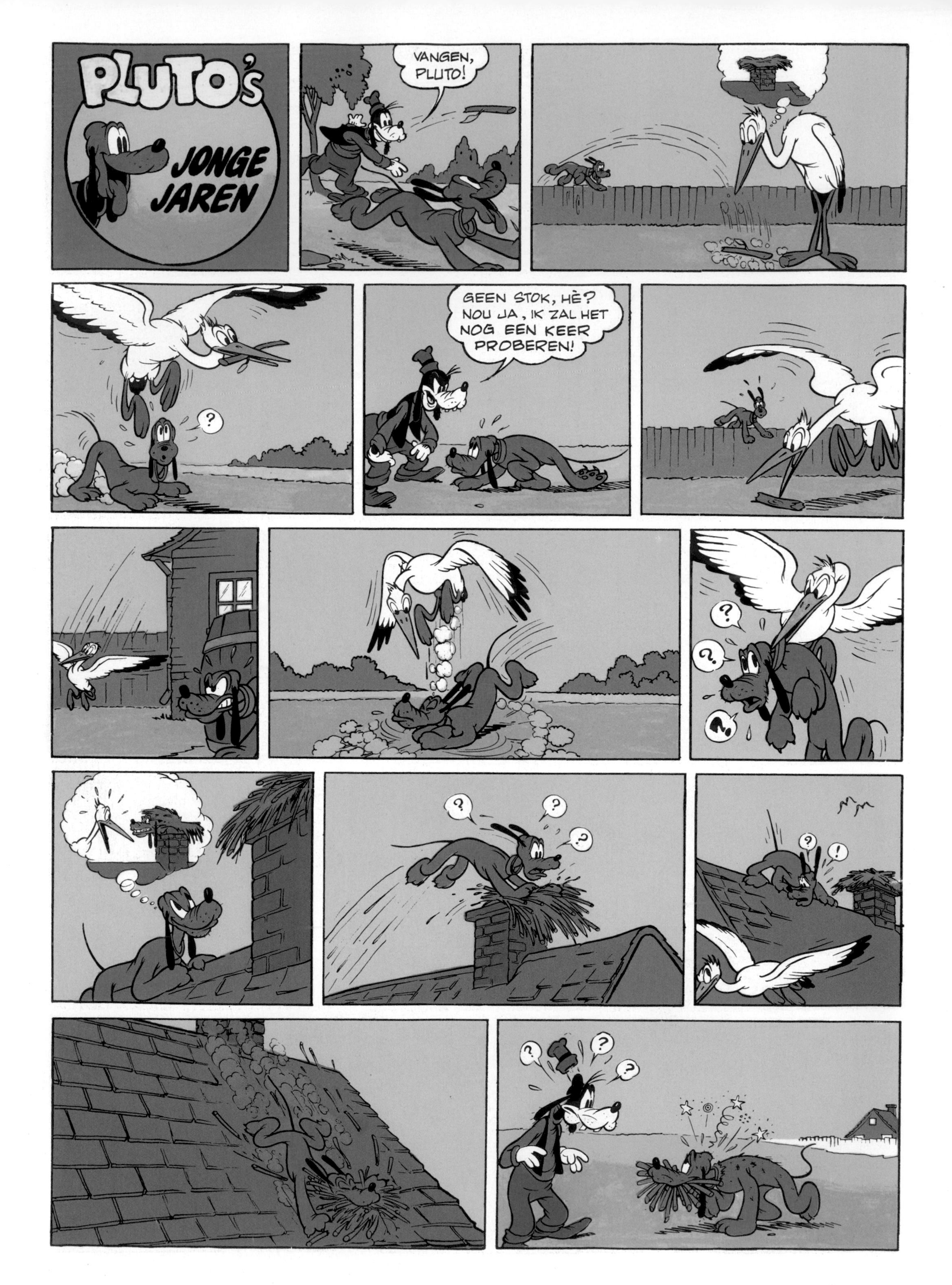
PLUTO's
JONGE JAREN
VANGEN, PLUTO!
GEEN STOK, HÈ? NOU JA, IK ZAL HET NOG EEN KEER PROBEREN!

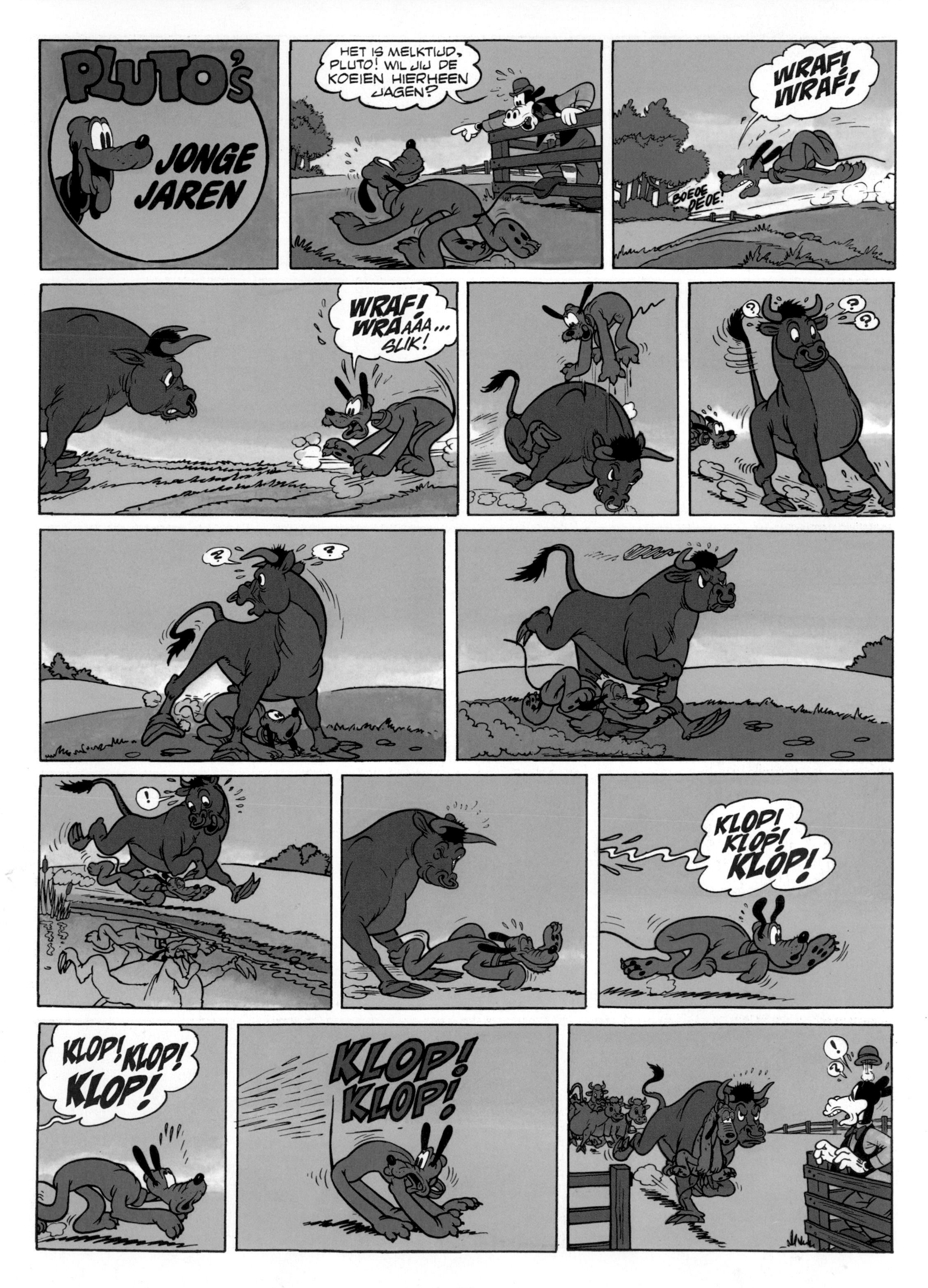
PLUTO'S
JONGE JAREN
HET IS MELKTIJD, PLUTO! WIL JIJ DE KOEIEN HIERHEEN JAGEN?
WRAF! WRAF!
BOEOE DEOE!
WRAF! WRAÁÁÁ... SLIK!
KLOP! KLOP! KLOP!
KLOP! KLOP! KLOP!
KLOP! KLOP!

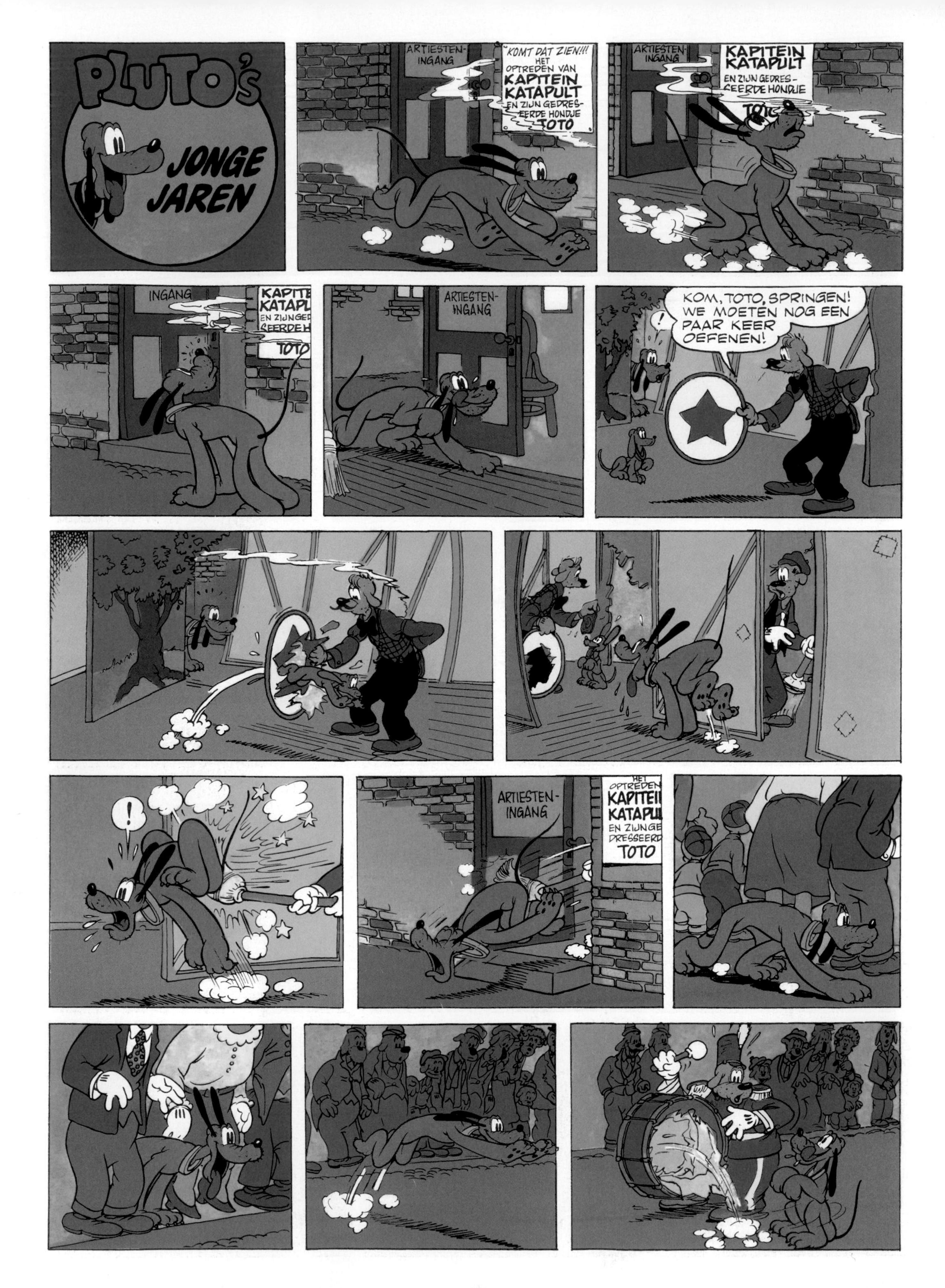
PLUTO'S
JONGE JAREN
ARTIESTEN-INGANG
KOMT DAT ZIEN!!! HET OPTREDEN VAN KAPITEIN KATAPULT EN ZIJN GEDRESSEERDE HONDJE TOTO
KAPITEIN KATAPULT EN ZIJN GEDRESSEERDE HONDJE TOTO
KOM, TOTO, SPRINGEN! WE MOETEN NOG EEN PAAR KEER OEFENEN!
!
!
ARTIESTEN-INGANG
HET OPTREDEN KAPITEI KATAPUL EN ZIJN GE DRESSEERD TOTO

PLUTO's
JONGE JAREN
FJIEWIET! FWIET!
FWIET! FWIEIET!
FJIEWIET!
FJIEWIET! FWIET!
FWIET! FWIEIET!
FJIEWIET! FWIET!
FWIET! FWIEIET!
FWIET! FWIET!
FWIET! FWIET!
?
FJIEWIET!
FWIET! FWIEIET!
FWIET!
FWIET! FWIEIET!

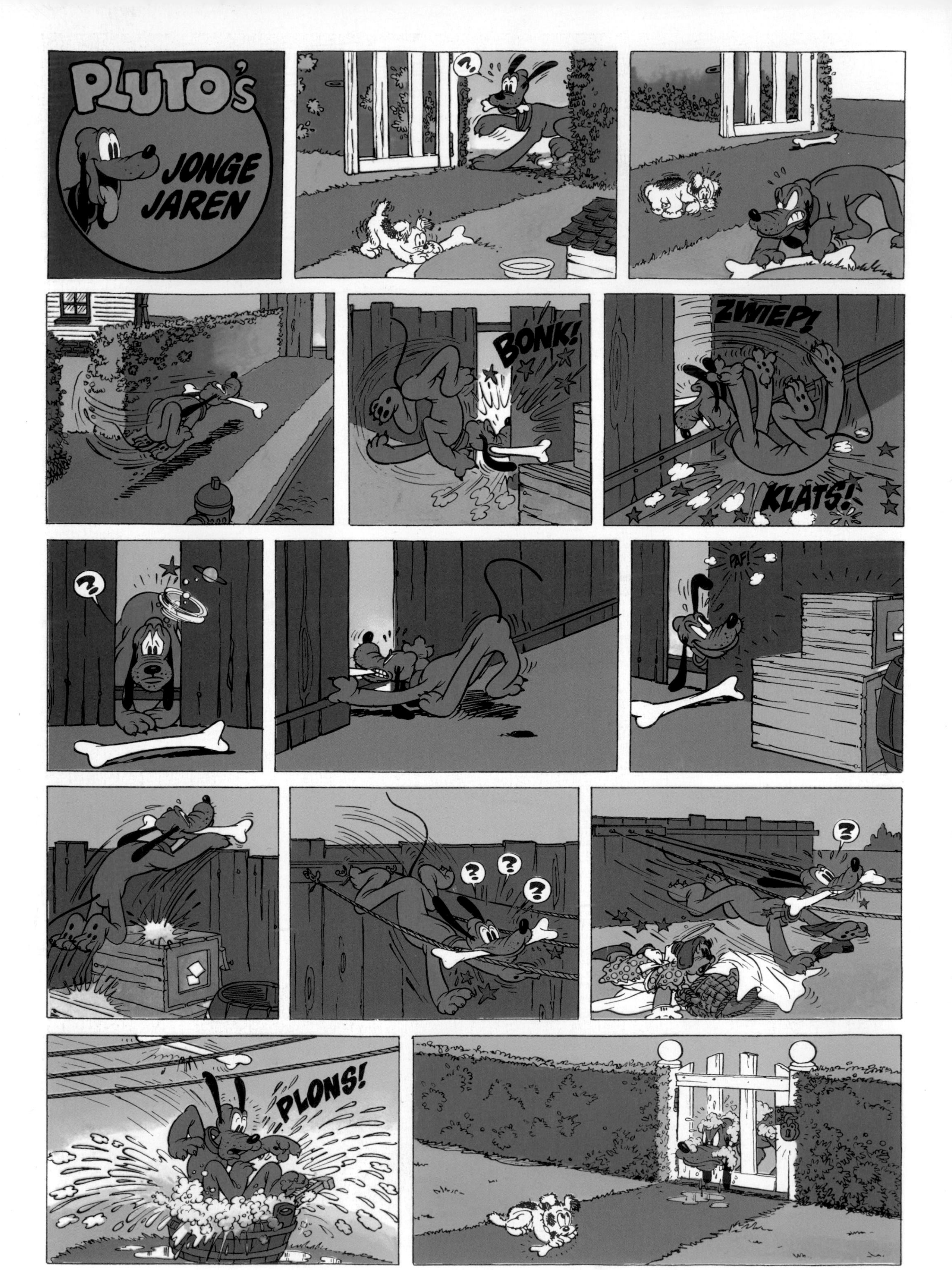
PLUTO's
JONGE JAREN
?
BONK!
ZWIEP!
KLATS!
?
PAF!
? ? ?
?
PLONS!

PLUTO's
JONGE JAREN
WRRAF-WAF!
WAF! WAF! WAF! WAF!
WERK IN UIT-VOERING!
WAF! WAF! WAF!
WAF!
GAA-AA-AAP!
PLUTO
ZZZZZ ZZZ
PLUTO
IEIEYAUOOOW-W-W!!!
IEIEYAUOOOW-W-W
PLUTO
KAI-AI-AI AI-I-I-I!!
CAFE DE ZWARTE KAT

PLUTO's
JONGE
JAREN
ALS JE BELOOFT VANNACHT 'N GOEDE WAAKHOND TE ZIJN, KRIJG JE EEN ZAKJE HONDENSNOEP!
PLUTO
PLUTO
FWIET!
KIJK EENS, JONGEN... HIER HEB JE EEN HONDENSNOEPJE!
PLUTO
DING! DONG!
SSST! ANDERS WORD IK GE-SNAPT!
RINKEL-DE-KINK!
?

PLUTO'S
JONGE JAREN
KOM PLUTO, WE MOETEN NAAR BENEDEN OM WAT DRINKWATER TE HALEN!
PFFF! DAT VIEL NIET MEE!
HIER, PLUTO... NEEM 'N SLOK WATER OM AF TE KOELEN!
HÉ! WAT MANKEER JIJ INEENS? DIT WATER IS GOED TE DRINKEN!
KIJK, PLUTO... WATER... SLURP! LEKKER!
OKÉ, DAN MOET JE HET ZELF MAAR WETEN ALS JIJ JE DORST NIET WILT LESSEN!

PLUTO'S
JONGE JAREN
BAH! DIE VOS HEEFT VANNACHT WEER TWEE KIPPEN GESTOLEN! 'N GOEIE WAAKHOND BEN JIJ!
MAAR NU ZAL IK 'M KRIJGEN! IK HEB DEZE DEUR ZO GEMAAKT, DAT HIJ ER WEL DOOR NAAR BINNEN KAN, MAAR ...
... NIET MEER TERUG NAAR BUITEN!
DIE NACHT...
PLUTO
BENG!
PLUTO
SNIF!
SNIF!
PLUTO
PLUTO
ZOEF!
GR-R-R!! R-R! GR-R!
GR-R-R-R-R... WOEF! WRAF!
GRR-R-R!!
PLUTO
KAI-KAI-AI-I!!

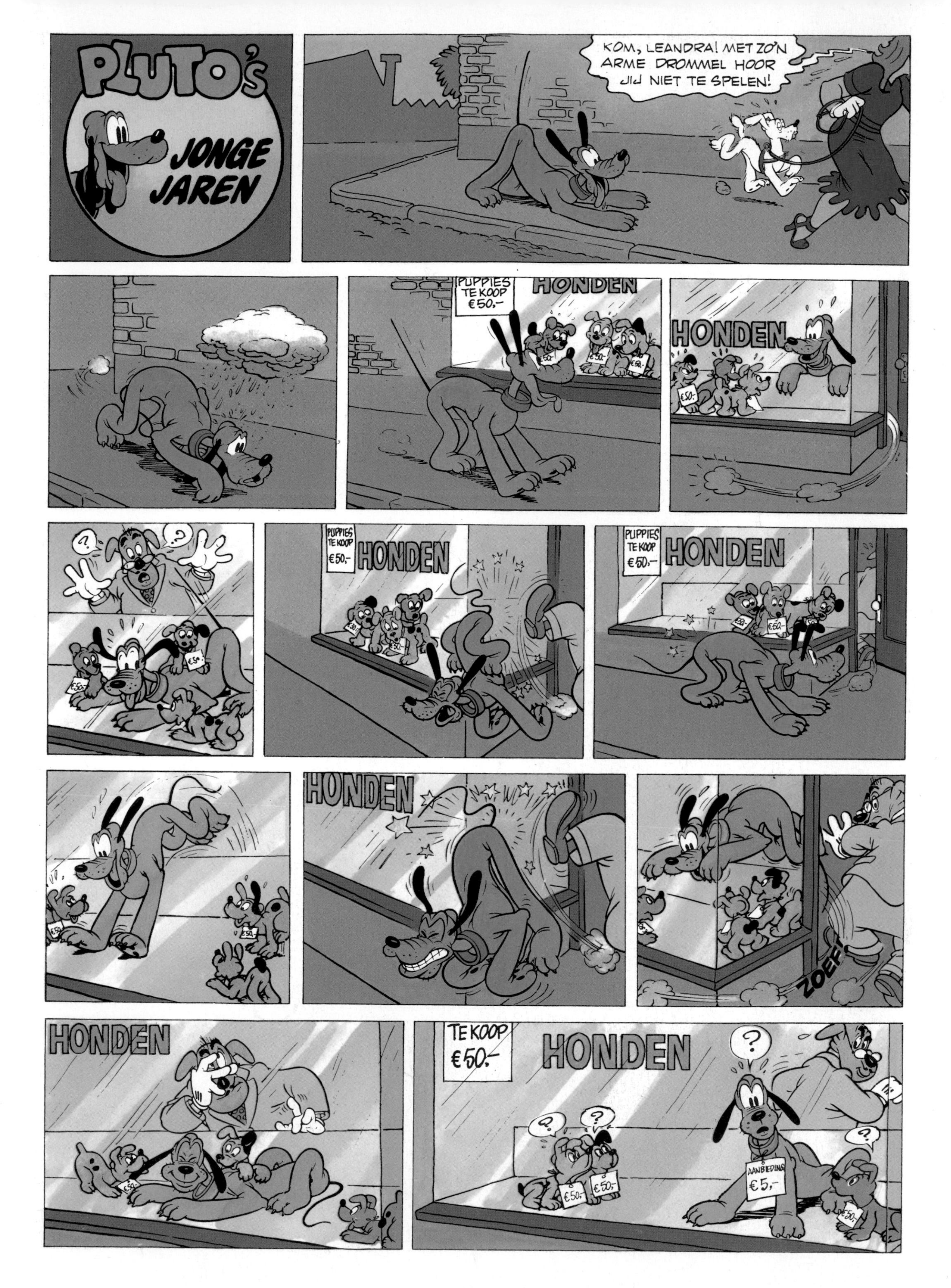
PLUTO'S
JONGE JAREN
KOM, LEANDRA! MET ZO'N ARME DROMMEL HOOR JIJ NIET TE SPELEN!
PUPPIES TE KOOP €50,-
HONDEN
HONDEN
PUPPIES TE KOOP €50,-
HONDEN
PUPPIES TE KOOP €50,-
HONDEN
HONDEN
ZOEF!
HONDEN
TE KOOP €50,-
HONDEN
AANBIEDING €5,-